목적과 특징

1 수학 학력평가의 목적

하나 수학의 기초 체력을 점검하고, 개인의 학력 수준을 파악하여 학습에 도움을 주고자 합니다.

둘 교과서 기본과 응용 수준의 문제를 주어 교육과정의 이해 척도를 알아보며 심화 수준의 문제를 주어 통합적 사고 능력을 측정하고자 합니다.

셋 평가를 통하여 수학 학습 방향을 제시하고 우수한 수학 영재를 조기에 발굴하고자 합니다.

넷 교육 현장의 선생님들에게 학생들의 수학적 사고와 방향을 제시하여 보다 향상된 수학 교육을 실현시키고자 합니다.

2 수학 학력평가의 특징

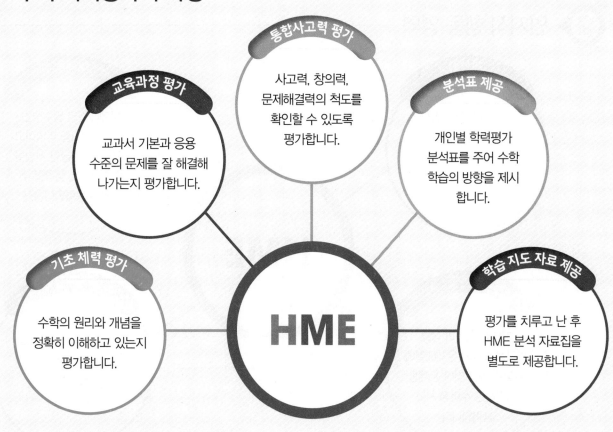

통합사고력 평가
사고력, 창의력, 문제해결력의 척도를 확인할 수 있도록 평가합니다.

교육과정 평가
교과서 기본과 응용 수준의 문제를 잘 해결해 나가는지 평가합니다.

분석표 제공
개인별 학력평가 분석표를 주어 수학 학습의 방향을 제시합니다.

기초 체력 평가
수학의 원리와 개념을 정확히 이해하고 있는지 평가합니다.

HME

학습 지도 자료 제공
평가를 치루고 난 후 HME 분석 자료집을 별도로 제공합니다.

● 성적에 따라 대상, 최우수상, 우수상, 장려상을 수여하고 상위 5%는 왕중왕을 가리는 [해법수학 경시대회]에 출전할 기회를 드립니다.

수준별 평가 체제를 바탕으로 기본·응용·심화 과정의 내용을 평가하고 분석표에는 인지적 행동 영역(계산력, 이해력, 추론력, 문제해결력)과 내용별 영역(수와 연산, 도형, 측정, 규칙성, 자료와 가능성)으로 구분하여 제공합니다.

 평가 수준

배점	수준 구분	출제 수준
100점 만점	교과서 기본 과정	교과 과정에서 꼭 알고 있어야 하는 기본 개념과 원리에 관련된 기본 문제들로 구성
	교과서 응용 과정	기본적인 수학의 개념과 원리의 이해를 바탕으로 한 응용력 문제들로 교육과정의 응용 문제를 중심으로 구성
	심화 과정	수학적 내용을 풀어가는 과정에서 사고력, 창의력, 문제해결력을 기를 수 있는 문제들로 통합적 사고력을 요구하는 문제들로 구성

 인지적 행동 영역

계산력
수학적 능력을 향상시키는데 가장 기본이 되는 것으로 반복적인 학습과 주의집중력을 통해 기를 수 있습니다.

이해력
문제해결의 필수적인 요소로 원리를 파악하고 문제에서 언급한 사실을 수학적으로 생각할 수 있는 능력입니다.

HME

추론력
개념과 원리의 상호 관련성 속에서 문제해결에 필요한 것을 찾아 문제를 해결하는 수학적 사고 능력입니다.

문제해결력
수학의 개념과 원리를 바탕으로 문제에 적합한 해결법을 찾아내는 능력입니다.

교재 구성

유형 학습(HME의 기본+응용 문제로 구성)

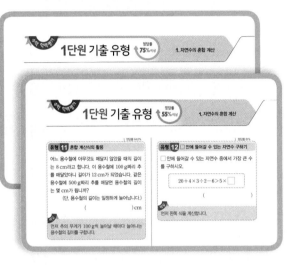

●● **단원별 기출 유형**

HME에 출제된 기출문제를 단원별로 유형을 분석하여 정답률과 함께 수록하였습니다. 유사문제를 통해 다시 한번 유형을 확인할 수 있습니다.

정답률 **75%**이상 문제를 실수 없이 푼다면 장려상 이상, 정답률 **55%**이상 문제를 실수 없이 푼다면 우수상 이상 받을 수 있는 실력입니다.

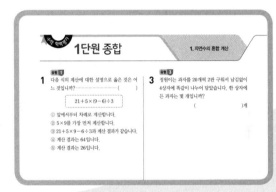

●● **단원별 종합**

앞에서 배운 유형을 다시 한번 확인할 수 있습니다.

실전 학습(HME와 같은 난이도로 구성)

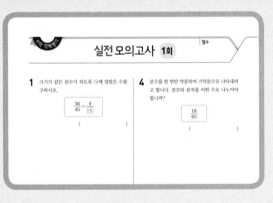

●● **실전 모의고사**

출제율 높은 문제를 수록하여 HME 시험을 완벽하게 대비할 수 있습니다.

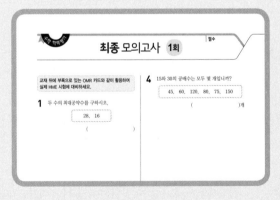

●● **최종 모의고사**

책 뒤에 있는 OMR 카드와 함께 활용하고 OMR 카드 작성법을 익혀 실제 HME 시험에 대비할 수 있습니다.

●● **OMR 카드**

차례

기출 유형

실전 모의고사

최종 모의고사

정답률 98%

유형 1 계산 순서 알아보기

가장 먼저 계산해야 하는 부분은 어느 것입니까?
································· ( )

$$9+20\div4\times3-3\times6$$

① $9+20$ ② $20\div4$

③ 4×3 ④ $3-3$

⑤ 3×6

핵심

덧셈, 뺄셈, 곱셈, 나눗셈이 섞여 있는 식에서는 곱셈과 나눗셈을 먼저 계산합니다.

정답률 96.1%

유형 2 덧셈과 뺄셈이 섞여 있는 식

윤기네 반은 남학생이 17명, 여학생이 13명입니다. 윤기네 반 학생 중에서 안경을 쓴 학생이 8명이라면 안경을 쓰지 않은 학생은 몇 명입니까?

( )명

덧셈과 뺄셈이 섞여 있는 식에서는 앞에서부터 차례로 계산합니다.

---

1 가장 먼저 계산해야 하는 부분은 어느 것입니까? ························· ( )

$$60\div(10-4\times2)+30-15$$

① $60\div10$ ② $10-4$

③ 4×2 ④ $2+30$

⑤ $30-15$

2 ▎보기▎와 같이 계산 순서를 나타내시오.

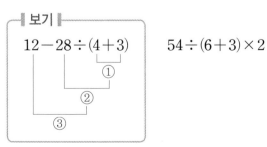

$$54\div(6+3)\times2$$

3 지우네 반 학급 문고에는 동화책이 35권, 위인전이 27권 있습니다. 그중에서 19권을 친구들이 빌려 갔습니다. 남은 책은 몇 권입니까?

( )권

4 파 1단은 4200원, 당근 1개는 700원, 배추 1포기는 3000원입니다. 파 1단의 값이 당근 1개와 배추 1포기를 같이 산 값보다 얼마나 더 비쌉니까?

( )원

정답률 87%

유형 3 곱셈과 나눗셈이 섞여 있는 식

연필 한 타에 연필이 12자루씩 들어 있습니다. 연필 4타를 한 사람에게 6자루씩 나누어 주면 모두 몇 명에게 줄 수 있습니까?

( )명

핵심

곱셈과 나눗셈이 섞여 있는 식에서는 앞에서부터 차례로 계산합니다.

5 공책이 한 상자에 15권씩 6상자 있습니다. 이 공책을 한 사람에게 9권씩 나누어 주면 모두 몇 명에게 줄 수 있습니까?

( )명

6 한 사람이 한 시간에 종이꽃을 3개 만들 수 있습니다. 6명이 종이꽃 54개를 만들려면 몇 시간이 걸리겠습니까?

( )시간

정답률 82.9%

유형 4 혼합 계산하기

계산을 하시오.

$$81-(31+13)\times 3\div 11$$

( )

핵심

덧셈, 뺄셈, 곱셈, 나눗셈이 섞여 있고 ( )가 있는 식의 계산 순서
( )안 ⇨ ×, ÷ ⇨ +, − 순으로 계산합니다.

7 계산을 하시오.

$$27+9\times(48-12)\div 6$$

( )

8 계산이 <u>틀린</u> 것을 찾아 바르게 계산한 값을 구하시오.

• $32-6\times 4+7=15$
• $40\div(5+3)-2=9$

( )

| 정답률 81.5%

유형 5 ( )가 없어도 계산 결과가 같은 식 찾기

( )가 없어도 계산 결과가 같은 식은 어느 것입니까? ·············· ( )

① $15-(2+7)$ ② $8+(9-3)$
③ $16÷(4×2)$ ④ $25-(17-5)$
⑤ $(2+5)×4$

 ( )가 있을 때와 없을 때를 각각 계산하여 비교해 봅니다.

| 정답률 81%

유형 6 두 식의 계산 결과의 합, 차 구하기

두 식의 계산 결과의 차를 구하시오.

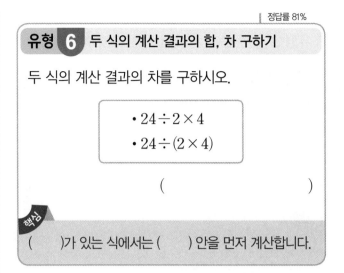

- $24÷2×4$
- $24÷(2×4)$

( )

( )가 있는 식에서는 ( ) 안을 먼저 계산합니다.

9 ( )가 없어도 계산 결과가 같은 식은 어느 것입니까? ·············· ( )

① $20-(9-6)$ ② $27÷(3×3)$
③ $50-(16+3)$ ④ $3×(24÷8)$
⑤ $(15-3)×4$

11 두 식의 계산 결과의 합을 구하시오.

- $14×5-3$
- $14×(5-3)$

( )

10 ( )가 없어도 계산 결과가 같은 식은 모두 몇 개입니까?

⊙ $2×(8-3)$ ⓒ $8+(17-6)$
ⓒ $(63-45)÷9$ ⓔ $11×(9÷3)$

( )개

12 두 식의 계산 결과의 차를 구하시오.

- $15+30÷6-3$
- $(15+30)÷(6-3)$

( )

정답률 79.5%

유형 7 □ 안에 들어갈 수 있는 자연수 구하기

□ 안에 들어갈 수 있는 자연수는 모두 몇 개입니까?

$$9+60\div5-3<\square<21$$

( )개

주의

⟮예⟯ 3<□<8에서 □ 안에 들어갈 수 있는 자연수에 3과 8은 포함되지 않습니다.

13 □ 안에 들어갈 수 있는 자연수는 모두 몇 개 입니까?

$$8<\square<65-(6+7)\times4$$

( )개

14 □ 안에 들어갈 수 있는 자연수는 모두 몇 개 입니까?

$$36-7\times3<\square<40-(8+13)$$

( )개

정답률 79.3%

유형 8 규칙을 찾아 계산하기

규칙에 따라 바둑돌을 차례로 놓으려고 합니다. 여덟째에는 바둑돌을 몇 개 놓아야 합니까?

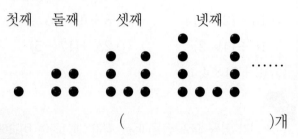

첫째   둘째   셋째   넷째

( )개

핵심

바둑돌이 ▲개씩 늘어날 때 ■째에 놓이는 바둑돌의 수: (첫째에 놓인 바둑돌의 수)+▲×(■−1)개

15 규칙에 따라 바둑돌을 차례로 놓으려고 합니다. 10째에는 바둑돌을 몇 개 놓아야 합니까?

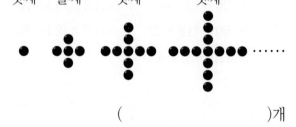

첫째   둘째   셋째   넷째

( )개

16 규칙에 따라 구슬을 차례로 놓으려고 합니다. 구슬이 40개 놓일 때는 몇 째입니까?

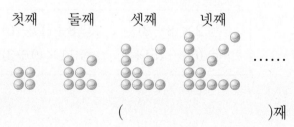

첫째   둘째   셋째   넷째

( )째

정답률 77%

유형 9 약속에 따라 식을 세워 계산하기

다음과 같이 약속할 때, 12◎5를 계산하시오.

$$가◎나=가×나-(가+나)$$

( )

가 대신에 12를, 나 대신에 5를 넣어 식을 세웁니다.

정답률 75.3%

유형 10 □ 안에 알맞은 수 구하기

□ 안에 알맞은 수를 구하시오.

$$125-(□+36)÷5=112$$

( )

계산 순서를 거꾸로 생각하여 □ 안에 알맞은 수를 구합니다.

---

17 다음과 같이 약속할 때, 14★8을 계산하시오.

$$가★나=(가+나)×(가-나)$$

( )

---

18 다음과 같이 약속할 때, (20▲4)▲3을 계산하시오.

$$가▲나=가÷나+나$$

( )

---

19 □ 안에 알맞은 수를 구하시오.

$$16×(□-8)÷2=48$$

( )

---

20 어떤 수를 구하시오.

어떤 수에서 2와 5의 곱을 뺀 후, 28을 4로 나눈 몫을 더하면 22입니다.

( )

정답률 64.6%

 유형 11 혼합 계산식의 활용

어느 용수철에 아무것도 매달지 않았을 때의 길이는 8 cm라고 합니다. 이 용수철에 100 g짜리 추를 매달았더니 길이가 12 cm가 되었습니다. 같은 용수철에 500 g짜리 추를 매달면 용수철의 길이는 몇 cm가 됩니까?

(단, 용수철의 길이는 일정하게 늘어납니다.)

( ) cm

핵심

먼저 추의 무게가 100 g씩 늘어날 때마다 늘어나는 용수철의 길이를 구합니다.

정답률 61%

유형 12 □ 안에 들어갈 수 있는 자연수 구하기

□ 안에 들어갈 수 있는 자연수 중에서 가장 큰 수를 구하시오.

$$20+4\times3\div2-6>5\times\square$$

( )

핵심

먼저 왼쪽 식을 계산합니다.

21 무게가 같은 구슬 5개가 들어 있는 상자의 무게를 재어 보니 260 g이었습니다. 이 상자에 무게가 같은 구슬 1개를 더 넣은 후 상자의 무게를 재어 보니 290 g이었습니다. 빈 상자의 무게는 몇 g입니까?

( ) g

22 □ 안에 들어갈 수 있는 자연수 중에서 가장 큰 수를 구하시오.

$$(31-6)\div5\times2+12>7\times\square$$

( )

23 □ 안에 들어갈 수 있는 자연수는 모두 몇 개입니까?

$$37-(12+3)\div3\times2>15+2\times\square$$

( )개

정답률 58.2%

유형 13 남은 돈 구하기

서윤이는 10000원으로 5개에 6000원 하는 빵 1개와 2700원짜리 과자 3봉지를 샀습니다. 남은 돈은 얼마입니까? (단, 빵 한 개의 값은 각각 같습니다.)

(   )원

핵심

(남은 돈)=(처음에 가지고 있던 돈)
      −(빵 1개와 과자 3봉지의 값)

---

24 나은이는 15000원으로 6권에 9000원 하는 공책 1권과 700원짜리 색연필 18자루를 샀습니다. 남은 돈은 얼마입니까? (단, 공책 한 권의 값은 각각 같습니다.)

(   )원

---

25 승주는 사탕 3개와 1000원짜리 초콜릿 2개를 사고 5000원을 내었더니 거스름돈으로 1200원을 받았습니다. 사탕 한 개의 값은 얼마입니까? (단, 사탕 한 개의 값은 각각 같습니다.)

(   )원

정답률 55%

유형 14 수 카드로 식 만들기

수 카드 1 , 5 , 6 을 한 번씩 사용하여 다음과 같이 식을 만들려고 합니다. 계산 결과가 가장 클 때는 값이 얼마인지 구하시오.

$$30 \div (\square \times \square) + \square$$

(   )

핵심

계산 결과가 가장 크려면 나누는 수가 가장 작아야 합니다.

---

26 수 카드 7 , 5 , 35 를 한 번씩 사용하여 다음과 같이 식을 만들려고 합니다. 계산 결과가 가장 작을 때는 값이 얼마인지 구하시오.

$$\square \times \square \div \square$$

(   )

---

27 수 카드 3 , 5 , 8 을 한 번씩 사용하여 다음과 같이 식을 만들려고 합니다. 계산 결과가 가장 클 때와 가장 작을 때의 값은 각각 얼마인지 구하시오.

$$(\square + \square) \times 4 - \square$$

가장 클 때 (   )

가장 작을 때 (   )

유형 1

1 다음 식의 계산에 대한 설명으로 옳은 것은 어느 것입니까? ·························· (   )

$$21+5\times(9-6)\div3$$

① 앞에서부터 차례로 계산합니다.

② 5×9를 가장 먼저 계산합니다.

③ $21+5\times9-6\div3$과 계산 결과가 같습니다.

④ 계산 결과는 64입니다.

⑤ 계산 결과는 26입니다.

유형 2

2 운동장에 남학생이 16명, 여학생이 19명 있습니다. 이 중 체육복을 입은 학생이 11명이라면 체육복을 입지 않은 학생은 몇 명입니까?

(   )명

유형 3

3 정원이는 과자를 20개씩 2판 구워서 남김없이 4상자에 똑같이 나누어 담았습니다. 한 상자에 든 과자는 몇 개입니까?

(   )개

4 계산 결과가 더 큰 것을 찾아 그 값을 쓰시오.

- $13+21-16\times2$
- $13+(21-16)\times2$

(   )

유형 6

5 두 식의 계산 결과의 합을 구하시오.

$$\cdot\ 32-2+4$$
$$\cdot\ 32-(2+4)$$

( )

유형 7

7 □ 안에 들어갈 수 있는 자연수는 모두 몇 개입니까?

$$49<\square<9\times7-(3+15)\div2$$

( )개

유형 5

6 ( )가 없으면 계산 결과가 바뀌는 것을 찾아 기호를 쓰시오.

㉠ $13+(33-21)$
㉡ $6\times(12\div3)$
㉢ $46-(17+5)$

( )

유형 9

8 다음과 같이 약속할 때, 10◆7을 계산하시오.

가◆나=가×(가−나)

( )

유형 8

9 규칙에 따라 타일로 모양을 만들고 있습니다. 10째에는 타일이 몇 개 필요합니까?

첫째   둘째   셋째

......

(   )개

유형 12

10 □ 안에 들어갈 수 있는 자연수는 모두 몇 개입니까?

$$72 \div (4+8) \times 4 > 3 \times \square$$

(   )개

유형 13

11 진호는 7000원으로 12자루에 4800원 하는 연필 5자루와 2200원짜리 스케치북 2권을 샀습니다. 남은 돈은 얼마입니까? (단, 연필 한 자루의 값은 각각 같습니다.)

(   )원

유형 11

12 무게가 같은 비누 3장이 들어 있는 상자의 무게를 재어 보니 1750 g이었습니다. 이 상자에 무게가 같은 비누 1개를 더 넣은 후 상자의 무게를 재어 보니 2250 g이었습니다. 빈 상자의 무게는 몇 g입니까?

(   )g

정답률 97%

유형 1 약수 구하기

56의 약수가 <u>아닌</u> 수는 어느 것입니까?(   )

① 2   ② 4

③ 7   ④ 9

⑤ 14

 핵심

어떤 수를 나누어떨어지게 하는 수를 그 수의 약수라고 합니다.

예) 6의 약수 구하기

$6 \div 1 = 6, 6 \div 2 = 3, 6 \div 3 = 2, 6 \div 4 = 1 \cdots 2,$
$6 \div 5 = 1 \cdots 1, 6 \div 6 = 1$

⇨ 6의 약수: 1, 2, 3, 6

정답률 95.5%

유형 2 배수 구하기

12의 배수 중에서 가장 큰 두 자리 수를 구하시오.

(   )

 핵심

배수: 어떤 수를 1배, 2배, 3배…… 한 수

3 17의 배수 중에서 가장 큰 두 자리 수를 구하시오.

(   )

1 36의 약수가 <u>아닌</u> 수는 어느 것입니까?

……………………………… (   )

① 2   ② 6

③ 15   ④ 18

⑤ 36

4 14의 배수 중에서 200에 가장 가까운 수를 구하시오.

(   )

2 24의 약수는 모두 몇 개입니까?

(   )개

| 정답률 94.7%

유형 3 약수가 가장 많은 수 찾기

약수가 가장 많은 수를 찾아 쓰시오.

> 20, 25, 39

(   )

각 수의 약수를 빠뜨리지 않고 모두 찾아봅니다.

| 정답률 94%

유형 4 약수와 배수의 관계

두 수가 약수와 배수의 관계인 것은 어느 것입니까? ·················· (   )

① (2, 15)   ② (4, 21)

③ (9, 36)   ④ (8, 30)

⑤ (10, 25)

핵심

큰 수가 작은 수로 나누어떨어지면 두 수는 약수와 배수의 관계입니다.

---

5 약수가 가장 많은 수를 찾아 쓰시오.

> 9, 15, 17

(   )

---

7 두 수가 약수와 배수의 관계인 것은 어느 것입니까? ···················· (   )

① (15, 7)   ② (3, 31)

③ (50, 8)   ④ (5, 24)

⑤ (6, 48)

---

6 약수의 개수가 나머지 셋과 <u>다른</u> 수를 찾아 쓰시오.

> 11, 21, 19, 23

(   )

---

8 두 수가 약수와 배수의 관계인 것은 모두 몇 개입니까?

> ㉠ (8, 40)   ㉡ (9, 26)
>
> ㉢ (4, 42)   ㉣ (11, 33)

(   )개

정답률 94%

유형 5 최대공약수 구하기

두 수의 최대공약수를 구하시오.

30, 42

( )

 두 수의 공약수로 나누어 최대공약수를 구합니다.

정답률 93.6%

유형 6 공약수와 최대공약수의 관계

어떤 두 수의 최대공약수가 28이라고 합니다.
이 두 수의 공약수는 모두 몇 개입니까?

( )개

(두 수의 공약수)＝(두 수의 최대공약수의 약수)

9 두 수의 최대공약수를 구하시오.

16, 24

( )

11 어떤 두 수의 최대공약수가 30이라고 합니다.
이 두 수의 공약수는 모두 몇 개입니까?

( )개

10 두 수의 최대공약수가 더 큰 것을 찾아 그 최대
공약수를 쓰시오.

(28, 42)   (36, 60)

( )

12 어떤 두 수의 최대공약수가 14라고 합니다.
이 두 수의 모든 공약수들의 합을 구하시오.

( )

유형 7 최소공배수 구하기

정답률 93.5%

두 수 가와 나의 최소공배수를 구하시오.

$$가=2\times3\times7$$
$$나=2\times3\times5$$

(   )

핵심

두 곱셈식에 공통으로 들어가는 수를 찾아 최소공배수를 구합니다.

유형 8 최대공약수와 최소공배수의 활용

정답률 93%

어떤 수 ㉮와 90의 최대공약수는 18이고, 최소공배수는 360입니다. 어떤 수 ㉮를 구하시오.

$$18\,)\,\underline{㉮\quad\ 90}$$
$$㉠\quad\ 5$$

(   )

핵심

두 수 ㉮와 ㉯의 최대공약수가 ▲일 때

$$▲\,)\,\underline{㉮\quad ㉯}$$
$$㉠\quad ㉡$$

⇨ (㉮와 ㉯의 최소공배수)= ▲ × ㉠ × ㉡

---

13 두 수 가와 나의 최소공배수를 구하시오.

$$가=2\times2\times3\times5$$
$$나=2\times3\times3$$

(   )

15 72와 어떤 수 ㉮의 최대공약수는 24이고, 최소공배수는 144입니다. 어떤 수 ㉮를 구하시오.

$$24\,)\,\underline{72\quad ㉮}$$
$$3\quad ㉠$$

(   )

14 두 수 가와 나의 최소공배수는 60입니다. ☐ 안에 알맞은 수를 구하시오.

$$가=2\times5$$
$$나=2\times2\times5\times\boxed{}$$

(   )

16 28과 어떤 수의 최대공약수는 4이고, 최소공배수는 112입니다. 어떤 수를 구하시오.

(   )

정답률 92.3%

유형 9 최소공배수의 활용

수영장을 중기는 15일마다, 윤아는 12일마다 갑니다. 오늘 중기와 윤아가 같이 수영장에 갔다면 바로 다음번에 두 사람이 같이 수영장에 가는 날은 오늘부터 며칠 후입니까?

( )일 후

두 사람이 각각 ■일, ▲일마다 갈 때 두 사람이 같이 가는 날은 ■와 ▲의 최소공배수인 날수가 지날 때마다 입니다.

정답률 91.5%

유형 10 약수의 활용

다음을 모두 만족하는 어떤 수는 얼마입니까?

• 어떤 수는 36의 약수입니다.
• 어떤 수의 약수를 모두 더하면 28입니다.

( )

약수: 어떤 수를 나누어떨어지게 하는 수

2
단원

---

17 도서관을 수현이는 16일마다, 민호는 12일마다 갑니다. 오늘 수현이와 민호가 같이 도서관에 갔다면 바로 다음번에 두 사람이 같이 도서관에 가는 날은 오늘부터 며칠 후입니까?

( )일 후

19 다음을 모두 만족하는 어떤 수는 얼마입니까?

• 어떤 수는 20의 약수입니다.
• 어떤 수의 약수를 모두 더하면 18입니다.

( )

18 어느 버스 터미널에서 서울행 버스는 10분마다, 부산행 버스는 25분마다 출발한다고 합니다. 오전 8시에 두 버스가 처음으로 동시에 출발하였다면 이날 오전에 두 버스가 동시에 출발하는 횟수는 모두 몇 번입니까?

( )번

정답률 90.1%

유형 **11** 조건을 만족하는 수 구하기

▌조건▐을 모두 만족하는 수를 구하시오.

┌ ▌조건▐ ─────────────────┐
│ • 4의 배수도 되고 7의 배수도 됩니다. │
│ • 60보다 크고 100보다 작습니다. │
└────────────────────────┘

(   )

핵심

(두 수의 공배수)=(두 수의 최소공배수의 배수)

---

20 ▌조건▐을 만족하는 수를 모두 구하시오.

┌ ▌조건▐ ─────────────────┐
│ • 5의 배수도 되고 9의 배수도 됩니다. │
│ • 100보다 크고 200보다 작습니다. │
└────────────────────────┘

(   )

---

21 ▌조건▐을 만족하는 수는 모두 몇 개입니까?

┌ ▌조건▐ ─────────────────┐
│ • 1부터 100까지의 자연수입니다. │
│ • 4의 배수도 아니고 5의 배수도 아닙니다. │
└────────────────────────┘

(   )개

정답률 86.1%

유형 **12** 배수의 개수 구하기

7의 배수는 모두 몇 개입니까?

┌──────────────────────────┐
│   27,   91,   112,   97,   125 │
└──────────────────────────┘

(   )개

핵심

▲로 나누었을 때 나누어떨어지는 수는 ▲의 배수입니다.

예 $96 \div 8 = 12$

⇨ 96은 8로 나누어떨어지므로 96은 8의 배수

---

22 9의 배수는 모두 몇 개입니까?

┌──────────────────────────────┐
│   32,   56,   81,   118,   135,   153 │
└──────────────────────────────┘

(   )개

---

23 11의 배수가 <u>아닌</u> 수는 모두 몇 개입니까?

┌──────────────────────────────┐
│   33,   55,   111,   132,   164,   220 │
└──────────────────────────────┘

(   )개

정답률 81%

 유형 13 최대공약수의 활용

가로가 56 cm, 세로가 42 cm인 직사각형 모양의 종이가 있습니다. 이 종이를 남는 부분 없이 크기가 같은 가장 큰 정사각형 모양 여러 개로 자르려고 합니다. 정사각형을 모두 몇 개 만들 수 있습니까?

(   )개

핵심

최대한, 가장 큰, 될 수 있는 대로 많이(크게, 길게),
가장 많은 ⇨ 최대공약수를 이용

정답률 75.9%

 유형 14 약속에 따라 계산하기

⟨㉮⟩는 ㉮의 모든 약수의 합이라고 약속합니다. 예를 들어 ⟨6⟩=1+2+3+6=12입니다. 다음을 계산하시오.

$$⟨15⟩+⟨21⟩$$

(   )

핵심

먼저 15와 21의 모든 약수의 합을 각각 구해야 합니다.

---

24 가로가 48 cm, 세로가 30 cm인 직사각형 모양의 종이가 있습니다. 이 종이를 남는 부분 없이 크기가 같은 가장 큰 정사각형 모양 여러 개로 자르려고 합니다. 정사각형을 모두 몇 개 만들 수 있습니까?

(   )개

26 ⟨㉮⟩는 ㉮의 모든 약수의 합이라고 약속합니다. 예를 들어 ⟨4⟩=1+2+4=7입니다. 다음을 계산하시오.

$$⟨24⟩-⟨18⟩$$

(   )

25 연필 36자루와 볼펜 28자루가 있습니다. 이것을 최대한 많은 학생들에게 남김없이 똑같이 나누어 주려고 합니다. 학생 한 명에게 연필과 볼펜을 각각 몇 자루씩 나누어 줄 수 있습니까?

연필 (   )자루

볼펜 (   )자루

27 {㉮, ㉯}는 ㉮와 ㉯의 최대공약수, ⟨㉠, ㉡⟩은 ㉠과 ㉡의 최소공배수라고 약속합니다. 다음을 계산하시오.

$$\{15, 45\}+⟨28, 42⟩$$

(   )

2
단원

정답률 74.6%

유형 15 나머지가 있을 때 어떤 수 구하기

어떤 자연수 ㉠이 있습니다. 30을 ㉠으로 나누면 나머지가 3이고, 40을 ㉠으로 나누면 나머지가 4입니다. ㉠을 구하시오.

( )

핵심

어떤 수로 ㉮와 ㉯를 나누면 나머지가 각각 ■, ▲인 경우
⇨ (㉮─■)와 (㉯─▲)는 어떤 수로 나누어떨어집니다.

28 어떤 자연수 ㉠이 있습니다. 46을 ㉠으로 나누면 나머지가 1이고, 35를 ㉠으로 나누면 나머지가 5입니다. ㉠을 구하시오.

( )

29 18로 나누어도 5가 남고, 24로 나누어도 5가 남는 어떤 수가 있습니다. 어떤 수 중에서 가장 작은 두 자리 수를 구하시오.

( )

정답률 65.6%

유형 16 회전수 구하기

톱니바퀴 2개가 맞물려 돌고 있습니다. ㉠ 톱니바퀴의 톱니는 40개, ㉡ 톱니바퀴의 톱니는 16개입니다. 두 톱니바퀴의 톱니가 처음 맞물렸던 자리에서 동시에 만나려면 ㉡ 톱니바퀴는 적어도 몇 바퀴를 돌아야 합니까?

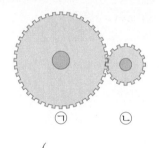

( )바퀴

핵심

톱니 수가 각각 ■개, ●개인 두 톱니바퀴의 톱니가 처음 맞물렸던 자리에서 처음으로 다시 만날 때까지 맞물리는 톱니 수 ⇨ ■와 ●의 최소공배수

30 톱니바퀴 2개가 맞물려 돌고 있습니다. ㉠ 톱니바퀴의 톱니는 27개, ㉡ 톱니바퀴의 톱니는 36개입니다. 두 톱니바퀴의 톱니가 처음 맞물렸던 자리에서 동시에 만나려면 ㉠ 톱니바퀴는 적어도 몇 바퀴를 돌아야 합니까?

( )바퀴

정답률 62.6%

유형 17 약수의 개수를 이용한 계산

▌보기▐와 같이 [㉮]는 ㉮의 약수의 개수를 나타냅니다. ([36]−[8])×[25]를 계산하시오.

▌보기▐

$$[5]=2, \quad [9]=3$$

(   )

주의 [ ] 안의 수를 나누어떨어지게 하는 수의 개수를 빠뜨리지 않도록 주의합니다.

---

31 ▌보기▐와 같이 [㉮]는 ㉮의 약수의 개수를 나타냅니다. ([28]+[14])×[30]을 계산하시오.

▌보기▐

$$[7]=2, \quad [4]=3$$

(   )

---

32 ㉮★㉯는 ㉮와 ㉯의 최대공약수를 나타내고, [㉱]는 ㉱의 약수의 개수를 나타냅니다. [36★54]+[49]를 계산하시오.

(   )

정답률 61.9%

유형 18 약수와 배수의 관계

오른쪽 수는 왼쪽 수의 배수입니다. ☐ 안에 들어갈 수 있는 1보다 큰 자연수는 모두 몇 개입니까?

(☐ , 40)

(   )개

핵심 ▲가 ■의 배수이면 ■는 ▲의 약수입니다.

---

33 오른쪽 수는 왼쪽 수의 배수입니다. ☐ 안에 들어갈 수 있는 1보다 큰 자연수는 모두 몇 개입니까?

(☐ , 48)

(   )개

---

34 두 수는 약수와 배수의 관계입니다. ㉠이 두 자리 수일 때, ㉠이 될 수 있는 가장 큰 수와 가장 작은 수를 각각 구하시오.

(30, ㉠)

가장 큰 수 (   )
가장 작은 수 (   )

1 유형 **4**
15와 약수와 배수의 관계인 수가 <u>아닌</u> 것은 어느 것입니까? ························· (   )

① 3   ② 5

③ 10   ④ 30

⑤ 45

2 유형 **7**
두 수의 최소공배수를 구하시오.

28, 70

(   )

3 유형 **2**
어떤 수의 배수를 가장 작은 수부터 쓴 것입니다. 12번째의 수를 구하시오.

6, 12, 18, 24……

(   )

4 유형 **5**
두 수의 최대공약수가 더 작은 것을 찾아 그 최대공약수를 쓰시오.

(24, 30)   (54, 45)

(   )

2
단원

유형 3

5 약수의 개수가 3개인 수를 찾아 쓰시오.

| 10, 13, 49, 21 |

( )

유형 8

7 어떤 수 ㉠과 30의 최소공배수는 90입니다. 어떤 수 ㉠을 구하시오.

```
  ㉡) ㉠   30
 5) 15   10
     3    2
```

( )

유형 9

6 가로가 9 cm, 세로가 12 cm인 직사각형 모양의 색종이를 겹치지 않게 늘어놓아 가장 작은 정사각형을 만들려고 합니다. 정사각형의 한 변의 길이는 몇 cm로 해야 합니까?

( ) cm

유형 11

8 20과 24의 공배수 중에서 500에 가장 가까운 수를 구하시오.

( )

9 유형 10

다음을 모두 만족하는 어떤 수는 얼마입니까?

> • 어떤 수는 8의 배수입니다.
> • 어떤 수의 약수를 모두 더하면 31입니다.

(   )

11 유형 18

오른쪽 수는 왼쪽 수의 배수입니다. □ 안에 들어갈 수 있는 1보다 큰 자연수는 모두 몇 개 입니까?

(□ , 32)

(   )개

10 유형 14

{㉮, ㉯}는 ㉮와 ㉯의 최대공약수, ⟨㉠, ㉡⟩은 ㉠과 ㉡의 최소공배수라고 약속합니다. 다음을 계산하시오.

{16, 40} + ⟨21, 35⟩

(   )

12 유형 15

8로 나누어도 3이 남고, 6으로 나누어도 3이 남는 어떤 수 중에서 가장 작은 두 자리 수를 구하시오.

> • (어떤 수)÷8=■…3
> • (어떤 수)÷6=●…3

(   )

정답률 98.4%

유형 1 표를 보고 대응 관계를 식으로 나타내기

표를 보고 △와 ○ 사이의 대응 관계를 식으로 나타내려고 합니다. □ 안에 알맞은 수를 구하시오.

△	12	13	14	15	......
○	24	26	28	30	......

$$△ × □ = ○$$

(   )

핵심

○는 △의 몇 배인지 알아봅니다.

정답률 97%

유형 2 대응 관계를 식으로 바르게 나타낸 것 찾기

□와 ○ 사이의 대응 관계를 식으로 바르게 나타낸 것은 어느 것입니까? ·············· (   )

□	3	4	5	6	......
○	6	7	8	9	......

① $□ × 2 = ○$ ② $□ + 2 = ○$

③ $□ + 3 = ○$ ④ $□ - 3 = ○$

⑤ $○ × 2 = □$

핵심

□와 ○ 사이의 대응 관계를 +, -, ×, ÷ 등을 이용하여 식으로 나타냅니다.

1 표를 보고 ◇와 ◎ 사이의 대응 관계를 식으로 나타내려고 합니다. □ 안에 알맞은 수를 구하시오.

◇	10	15	20	25	......
◎	2	3	4	5	......

$$◇ ÷ □ = ◎$$

(   )

2 표를 보고 ○와 ♡ 사이의 대응 관계를 식으로 나타내려고 합니다. □ 안에 공통으로 들어가는 수를 구하시오.

○	1	2	3	4	......
♡	7	8	9	10	......

$$○ + □ = ♡$$
$$♡ - □ = ○$$

(   )

3 △와 ○ 사이의 대응 관계를 식으로 바르게 나타낸 것은 어느 것입니까? ············ (   )

△	2	3	4	5	......
○	12	18	24	30	......

① $△ + 10 = ○$ ② $△ × 6 = ○$

③ $○ - 10 = △$ ④ $○ × 6 = △$

⑤ $△ ÷ 6 = ○$

4 ☆과 △ 사이의 대응 관계를 식으로 바르게 나타낸 것을 모두 고르시오. ········· (   )

☆	5	6	7	8	......
△	20	24	28	32	......

① $☆ × 4 = △$ ② $☆ + 15 = △$

③ $☆ - 15 = △$ ④ $△ ÷ 4 = ☆$

⑤ $△ - 5 = ☆$

정답률 92%

유형 3 대응 관계를 식으로 나타내기

한 모둠에 5명씩 앉아 있습니다. 모둠의 수를 ○, 학생의 수를 △라고 합니다. ○와 △ 사이의 대응 관계를 식으로 나타낼 때 □ 안에 알맞은 수를 구하시오.

$$○ × □ = △$$

(   )

핵심

○와 △ 사이의 대응 관계를 식으로 나타냅니다.

정답률 88%

유형 4 표를 보고 알맞은 수 구하기

□와 ○ 사이의 대응 관계를 나타낸 표입니다. □가 15일 때 ○는 얼마인지 구하시오.

□	1	3	5	7	……
○	3	5	7	9	……

(   )

핵심

예 ♡×3=◇에서 ♡가 2일 때 ◇ 구하기

⇨ ♡ 자리에 2를 넣습니다.

2×3=◇, ◇=6

---

5 유정이네 샤워기에서는 1분에 15 L의 물이 나옵니다. 샤워기를 사용한 시간을 △(분), 나온 물의 양을 ☆(L)라고 합니다. △와 ☆ 사이의 대응 관계를 식으로 나타낼 때 □ 안에 알맞은 수를 구하시오.

$$△ × □ = ☆$$

(   )

---

7 △와 ☆ 사이의 대응 관계를 나타낸 표입니다. △가 10일 때 ☆은 얼마인지 구하시오.

△	2	3	4	5	……
☆	6	9	12	15	……

(   )

---

6 형과 동생이 저금통에 저금을 하려고 합니다. 형은 가지고 있던 1000원을 먼저 저금했고, 두 사람은 다음 주부터 1주일에 1000원씩 저금을 하기로 했습니다. 형이 모은 돈을 ◇, 동생이 모은 돈을 ☆이라고 합니다. ◇와 ☆ 사이의 대응 관계를 식으로 나타낼 때 □ 안에 알맞은 수를 구하시오.

$$☆ + □ = ◇$$

(   )

---

8 ○와 ◇ 사이의 대응 관계를 나타낸 표입니다. ◇가 12일 때 ○는 얼마인지 구하시오.

○	24	32	40	48	……
◇	3	4	5	6	……

(   )

정답률 88%

유형 5 표를 보고 대응 관계를 찾아 해결하기

□와 △ 사이의 대응 관계를 나타낸 표입니다. ㉠과 ㉡에 알맞은 수의 합을 구하시오.

□	7	9	10	㉠	17
△	10	12	13	16	㉡

(   )

핵심

먼저 □와 △ 사이의 대응 관계를 식으로 나타냅니다.

정답률 86%

유형 6 규칙 알아맞히기

진영이와 연희가 수 카드를 이용하여 규칙 알아맞히기 놀이를 하고 있습니다. 진영이가 5 를 내면 연희는 3 을 내고, 진영이가 9 를 내면 연희는 7 을 냅니다. 또 진영이가 10 을 내면 연희는 8 을 냅니다. 진영이가 14 를 낸다면 연희는 어떤 수가 쓰인 수 카드를 내야 합니까?

(   )

핵심

진영이와 연희가 낸 카드의 수 사이의 대응 관계를 알아봅니다.

---

9 ☆과 ○ 사이의 대응 관계를 나타낸 표입니다. ㉠과 ㉡에 알맞은 수의 차를 구하시오.

☆	3	5	10	12	㉡
○	9	15	㉠	36	45

(   )

10 △와 ○ 사이의 대응 관계와 ○와 ◎ 사이의 대응 관계를 나타낸 표입니다. ㉠과 ㉡에 알맞은 수의 합을 구하시오.

△	2	4	6	8	10
○	6	8	10	㉠	14
◎	30	40	㉡	60	70

(   )

11 준수와 소진이가 수 카드를 이용하여 규칙 알아맞히기 놀이를 하고 있습니다. 준수가 3 을 내면 소진이는 12 를 내고, 준수가 7 을 내면 소진이는 28 을 냅니다. 또 준수가 8 을 내면 소진이는 32 를 냅니다. 준수가 12 를 낸다면 소진이는 어떤 수가 쓰인 수 카드를 내야 합니까?

(   )

3단원 기출 유형

정답률 55% 이상

3. 규칙과 대응

정답률 74%

유형 7 규칙을 찾아 해결하기

일정한 규칙으로 정사각형을 늘어놓았습니다. 12째에는 정사각형을 모두 몇 개 놓아야 합니까?

첫째   둘째   셋째

......

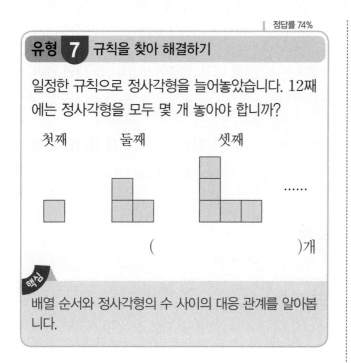

(   )개

핵심

배열 순서와 정사각형의 수 사이의 대응 관계를 알아봅니다.

정답률 66.1%

유형 8 자르는 데 걸리는 시간 구하기

긴 통나무를 자르려고 합니다. 통나무를 한 번 자르는 데 5분이 걸린다면 쉬지 않고 12도막으로 자르는 데 모두 몇 분이 걸리겠습니까?

(   )분

핵심

1번 자름: 2도막   2번 자름: 3도막   ......

13 긴 끈을 자르려고 합니다. 끈을 한 번 자르는 데 4초가 걸린다면 쉬지 않고 15도막으로 자르는 데 모두 몇 초가 걸리겠습니까?

(   )초

12 일정한 규칙으로 바둑돌을 늘어놓았습니다. 15째에는 바둑돌을 모두 몇 개 놓아야 합니까?

첫째   둘째   셋째   넷째

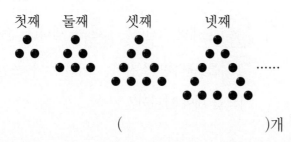

......

(   )개

14 긴 통나무를 10도막이 되게 자르려고 합니다. 통나무를 한 번 자르는 데 3분이 걸리고 한 번 자른 후 1분씩 쉰다면 모두 몇 분이 걸리겠습니까?

(   )분

정답률 66%

유형 9 필요한 의자 수 구하기

4인용 탁자를 그림과 같이 붙여서 의자를 놓고 있습니다. 탁자 7개를 한 줄로 이어 붙이면 의자는 몇 개 필요합니까?

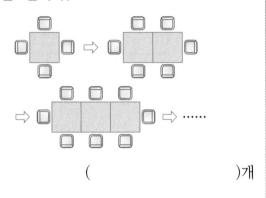

(   )개

핵심

그림을 보고 탁자의 수와 의자의 수 사이의 대응 관계를 표로 나타내어 알아봅니다.

15 6인용 탁자를 그림과 같이 붙여서 의자를 놓고 있습니다. 탁자 8개를 한 줄로 이어 붙이면 의자는 몇 개 필요합니까?

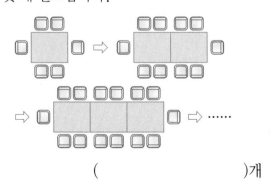

(   )개

정답률 65.8%

유형 10 성냥개비로 만든 도형에서 규칙 찾기

그림과 같이 성냥개비로 정사각형을 만들었습니다. 정사각형을 25개 만들려면 성냥개비는 몇 개 필요합니까?

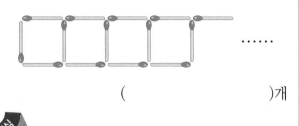

(   )개

핵심

정사각형의 수가 1씩 늘어날 때마다 성냥개비가 몇 개씩 늘어나는지 규칙을 찾습니다.

16 그림과 같이 성냥개비로 정삼각형을 만들었습니다. 정삼각형을 20개 만들려면 성냥개비는 몇 개 필요합니까?

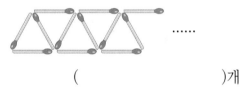

(   )개

17 그림과 같이 성냥개비로 정사각형을 만들었습니다. 성냥개비 121개로는 정사각형을 몇 개까지 만들 수 있습니까?

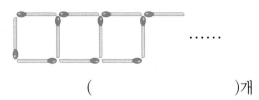

(   )개

3단원 종합

1 도형의 배열을 보고 □ 안에 알맞은 수를 구하시오.

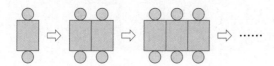

원의 수는 사각형의 수의 □배입니다.

( )

2 표를 보고 오각형의 수와 오각형의 꼭짓점 수 사이의 대응 관계를 식으로 나타내려고 합니다. □ 안에 알맞은 수를 구하시오.

오각형의 수(개)	1	2	3	4
오각형의 꼭짓점 수(개)	5	10	15	20

(오각형의 수)× □ =(오각형의 꼭짓점 수)

( )

3 □와 ○ 사이의 대응 관계를 식으로 바르게 나타낸 것은 어느 것입니까? ………… ( )

□	10	11	12	13	……
○	3	4	5	6	……

① □÷2=○　　② □−7=○
③ □+7=○　　④ ○×2=□
⑤ □−6=○

4 만화 영화를 1초 동안 상영하려면 그림이 25장 필요합니다. 만화 영화를 상영하는 시간을 □(초), 필요한 그림의 수를 △(장)이라고 할 때, □와 △ 사이의 대응 관계를 식으로 나타내시오.

식 _____

유형 4

5 ☆과 △ 사이의 대응 관계를 나타낸 표입니다. ☆이 12일 때 △는 얼마인지 구하시오.

☆	3	4	5	6	……
△	12	16	20	24	……

( )

유형 7

7 일정한 규칙으로 바둑돌을 늘어놓았습니다. 15째에는 바둑돌을 모두 몇 개 놓아야 합니까?

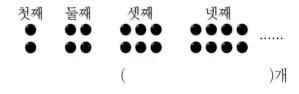

( )개

6 마름모 조각의 수와 삼각형 조각의 수 사이의 대응 관계를 알아보려고 합니다. 마름모 조각이 10개일 때 삼각형 조각은 몇 개 필요합니까?

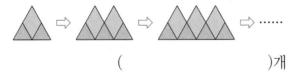

( )개

유형 4

8 같은 날 서울과 런던의 시각 사이의 대응 관계를 나타낸 표입니다. 서울이 오후 7시일 때 런던의 시각은 오전 몇 시인지 구하시오.

서울의 시각	오전 11시	낮 12시	오후 1시	오후 2시
런던의 시각	오전 2시	오전 3시	오전 4시	오전 5시

오전 ( )시

9 유형 5

○와 ◎ 사이의 대응 관계를 나타낸 표입니다. ㉠과 ㉡에 알맞은 수의 차를 구하시오.

○	6	9	㉠	14	18
◎	11	14	15	19	㉡

(   )

10 유형 6

연우와 성훈이가 규칙 알아맞히기 놀이를 하고 있습니다. 연우가 6이라고 말하면 성훈이는 2라고 답하고, 연우가 15라고 말하면 성훈이는 5라고 답합니다. 또 연우가 21이라고 말하면 성훈이는 7이라고 답합니다. 성훈이가 11이라고 답했다면 연우는 어떤 수를 말했겠습니까?

(   )

11 유형 8

긴 나무막대를 자르려고 합니다. 나무막대를 한 번 자르는 데 3분이 걸린다면 쉬지 않고 20도막으로 자르는 데 모두 몇 분이 걸리겠습니까?

(   )분

12 유형 10

그림과 같이 성냥개비로 정오각형을 만들었습니다. 정오각형을 15개 만들려면 성냥개비는 몇 개 필요합니까?

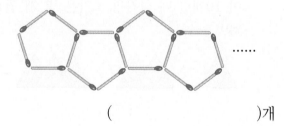

(   )개

정답률 97.8%

유형 1 크기가 같은 분수 찾기

$\dfrac{12}{18}$와 크기가 같은 분수는 모두 몇 개입니까?

$$\dfrac{2}{3}, \quad \dfrac{3}{4}, \quad \dfrac{6}{9}, \quad \dfrac{24}{36}$$

( )개

핵심

분모와 분자에 각각 0이 아닌 같은 수를 곱하거나 분모와 분자를 각각 0이 아닌 같은 수로 나누면 크기가 같은 분수가 됩니다.

정답률 95.5%

유형 2 크기가 같은 분수 만들기

$\dfrac{36}{96}$과 크기가 같은 분수를 만들려고 합니다. ▲에 알맞은 수를 구하시오.

$$\dfrac{36}{96} = \dfrac{▲}{16}$$

( )

핵심

주어진 수를 살펴보고 얼마로 나누었는지 알아봅니다.

4
단원

---

1 $\dfrac{27}{36}$과 크기가 같은 분수는 모두 몇 개입니까?

$$\dfrac{3}{6}, \quad \dfrac{3}{4}, \quad \dfrac{10}{12}, \quad \dfrac{54}{72}$$

( )개

2 크기가 나머지와 다른 하나는 어느 것입니까?

.... ( )

① $\dfrac{6}{27}$ ② $\dfrac{8}{18}$ ③ $\dfrac{12}{54}$

④ $\dfrac{10}{45}$ ⑤ $\dfrac{2}{9}$

3 $\dfrac{4}{5}$와 크기가 같은 분수를 만들려고 합니다.

●에 알맞은 수를 구하시오.

$$\dfrac{4}{5} = \dfrac{●}{45}$$

( )

4 $\dfrac{7}{12}$과 크기가 같은 분수를 만들었습니다.

만든 분수의 분자가 56일 때 분모는 얼마입니까?

( )

유형 3 공통분모 알아보기

$\dfrac{5}{6}$와 $\dfrac{4}{9}$를 통분할 때 공통분모가 될 수 <u>없는</u> 수를 찾아 쓰시오.

| 36, 54, 63, 72, 90 |

(   )

• 통분한다: 분수의 분모를 같게 하는 것
   공통분모: 통분한 분모
• 두 분모의 공배수를 공통분모로 하여 통분할 수 있습니다.

5 $\dfrac{3}{8}$과 $\dfrac{7}{12}$을 통분할 때 공통분모가 될 수 <u>없는</u> 수를 찾아 쓰시오.

| 24, 48, 72, 98, 120 |

(   )

6 $\dfrac{5}{12}$와 $\dfrac{11}{18}$을 통분할 때 공통분모가 될 수 있는 수는 모두 몇 개입니까?

| 36, 48, 72, 84, 108 |

(   )개

유형 4 기약분수 찾기

기약분수는 모두 몇 개입니까?

$$\dfrac{2}{6}, \quad \dfrac{5}{9}, \quad \dfrac{7}{10}, \quad \dfrac{9}{18}, \quad \dfrac{14}{21}, \quad \dfrac{20}{30}$$

(   )개

기약분수: 분모와 분자의 공약수가 1뿐인 분수

7 기약분수는 모두 몇 개입니까?

$$\dfrac{2}{4}, \quad \dfrac{3}{5}, \quad \dfrac{8}{12}, \quad \dfrac{7}{9}, \quad \dfrac{8}{11}, \quad \dfrac{3}{15}$$

(   )개

8 다음 진분수가 기약분수라고 할 때, ☐ 안에 들어갈 수 있는 자연수는 모두 몇 개입니까?

$$\dfrac{\square}{10}$$

(   )개

정답률 92.8%

유형 5 기약분수로 나타내기

$\dfrac{16}{48}$을 한 번만 약분하여 기약분수로 나타내려고 합니다. 분모와 분자를 어떤 수로 나누어야 합니까?

(   )

 핵심

기약분수로 나타내기
⇨ 분모와 분자의 최대공약수로 나누어 구하기

정답률 88.4%

유형 6 공통분모 구하기

두 분수를 통분하려고 합니다. 공통분모가 될 수 있는 수 중에서 가장 작은 수를 구하시오.

$$\left(\dfrac{9}{14}, \dfrac{7}{10} \right)$$

(   )

 핵심

공통분모가 될 수 있는 수 중에서 가장 작은 수:
두 분모의 최소공배수

---

9 $\dfrac{36}{64}$을 한 번만 약분하여 기약분수로 나타내려고 합니다. 분모와 분자를 어떤 수로 나누어야 합니까?

(   )

10 옳게 말한 사람을 찾아 이름을 쓰시오.

> 재호: $\dfrac{15}{25}$를 기약분수로 나타내면 $\dfrac{3}{5}$이야.
>
> 효진: $\dfrac{24}{40}$의 분모와 분자를 4로 나누면 기약분수가 돼.

(   )

---

11 두 분수를 통분하려고 합니다. 공통분모가 될 수 있는 수 중에서 가장 작은 수를 구하시오.

$$\left(\dfrac{7}{16}, \dfrac{5}{12} \right)$$

(   )

12 두 분수를 통분하려고 합니다. 공통분모가 될 수 있는 세 자리 수 중에서 가장 작은 수를 구하시오.

$$\left(\dfrac{5}{18}, \dfrac{11}{24} \right)$$

(   )

정답률 88.2%

 유형 **7** 약분하기 전의 분수 구하기

분모와 분자의 합이 108이고, 약분하면 $\frac{5}{7}$가 되는 분수가 있습니다. 이 분수의 분모와 분자의 차를 구하시오.

( )

핵심

약분한 분수의 분모와 분자를 똑같이 ■■배 하여 분모와 분자의 합이 108인 분수를 구해야 합니다.

정답률 87.9%

 유형 **8** 분수와 소수의 크기 비교하기

다음 중 가장 작은 수는 어느 것입니까?( )

① 0.8   ② $\frac{3}{4}$ ③ $\frac{19}{25}$

④ 0.795   ⑤ $\frac{7}{8}$

핵심

분수를 소수로 나타내거나 소수를 분수로 나타내어 크기를 비교합니다.

13 분모와 분자의 차가 35이고, 약분하면 $\frac{2}{9}$가 되는 분수를 구하시오.

( )

14 분모와 분자의 곱이 135이고, 약분하면 $\frac{3}{5}$이 되는 분수를 구하시오.

( )

15 다음 중 가장 큰 수는 어느 것입니까?

······················( )

① $\frac{4}{5}$ ② 0.6   ③ $\frac{13}{20}$

④ 0.72   ⑤ $\frac{9}{10}$

16 분수와 소수의 크기를 비교하여 큰 수부터 차례로 쓰시오.

$$1\frac{2}{5}, \quad 1.6, \quad 1\frac{1}{4}$$

(, ,)

정답률 85.8%

유형 9 통분하기 전의 분수 구하기

두 분수 $\left(\dfrac{4}{\bigcirc}, \dfrac{\bigcirc}{45}\right)$을 통분하였더니 $\left(\dfrac{12}{90}, \dfrac{6}{90}\right)$이 되었습니다. ㉠과 ㉡에 알맞은 수의 차를 구하시오.

( )

통분한 두 분수를 각각 약분하면 통분하기 전의 분수가 됩니다.

정답률 84.8%

유형 10 분모와 분자를 나눌 수 있는 수 구하기

$\dfrac{24}{40}$를 약분하려고 합니다. 1을 제외하고 분모와 분자를 나눌 수 있는 수는 모두 몇 개입니까?

( )개

$\dfrac{\blacktriangle}{\blacksquare}$를 약분할 때 분모와 분자를 나눌 수 있는 수: $\blacksquare$와 $\blacktriangle$의 공약수

17 두 분수를 통분하였습니다. ㉠과 ㉡에 알맞은 수의 합을 구하시오.

$$\left(\dfrac{\bigcirc}{7}, \dfrac{5}{\bigcirc}\right) \Rightarrow \left(\dfrac{24}{56}, \dfrac{35}{56}\right)$$

( )

19 $\dfrac{27}{36}$을 약분하려고 합니다. 1을 제외하고 분모와 분자를 나눌 수 있는 수는 모두 몇 개입니까?

( )개

18 다음은 어떤 두 기약분수를 통분한 것입니다. 통분하기 전의 두 분수를 구하시오.

$$\left(\dfrac{18}{60}, \dfrac{35}{60}\right)$$

(,)

20 $\dfrac{16}{32}$을 약분하려고 합니다. 분모와 분자를 나눌 수 <u>없는</u> 수는 모두 몇 개입니까?

2, 3, 4, 6, 8, 16

( )개

| 정답률 84.2%

유형 11 조건에 알맞은 크기가 같은 분수 찾기

$\dfrac{5}{12}$와 크기가 같은 분수 중에서 분모가 20보다 크고 60보다 작은 분수는 모두 몇 개입니까?

( )개

 분모와 분자에 각각 0이 아닌 같은 수를 곱하거나 분모와 분자를 각각 0이 아닌 같은 수로 나누면 크기가 같은 분수가 됩니다.

| 정답률 84.1%

유형 12 크기가 같은 분수 만들기

$\dfrac{5}{14}$의 분모에 14를 더한 분수가 $\dfrac{5}{14}$와 크기가 같아지려면 분자에 얼마를 더해야 합니까?

( )

 $\dfrac{5}{14}$와 크기가 같은 분수 중에서 분모가 $(14+14)$인 분수를 찾아야 합니다.

21 $\dfrac{7}{16}$과 크기가 같은 분수 중에서 분모가 30보다 크고 90보다 작은 분수는 모두 몇 개입니까?

( )개

23 $\dfrac{8}{15}$의 분모에 30을 더한 분수가 $\dfrac{8}{15}$과 크기가 같아지려면 분자에 얼마를 더해야 합니까?

( )

22 $\dfrac{11}{14}$과 크기가 같은 분수 중에서 분모가 20보다 크고 두 자리 수인 분수는 모두 몇 개입니까?

( )개

24 $\dfrac{28}{40}$의 분모에서 20을 뺀 분수가 $\dfrac{28}{40}$과 크기가 같아지려면 분자에서 얼마를 빼야 합니까?

( )

| 정답률 82.9%

유형 13 크기가 같은 분수의 활용

㉠과 ㉡에 알맞은 수의 합을 구하시오.

$$\frac{㉠}{3} = \frac{6}{9} = \frac{24}{㉡}$$

( )

$\frac{6}{9}$의 분모와 분자에 각각 0이 아닌 같은 수를 곱하거나 분모와 분자를 각각 0이 아닌 같은 수로 나누어 크기가 같은 분수를 찾습니다.

25 ㉠과 ㉡에 알맞은 수의 차를 구하시오.

$$\frac{㉠}{4} = \frac{9}{12} = \frac{45}{㉡}$$

( )

26 ㉠+㉡−㉢을 구하시오.

$$\frac{㉠}{5} = \frac{6}{15} = \frac{12}{㉡} = \frac{㉢}{45}$$

( )

| 정답률 75.6%

유형 14 처음의 분수 구하기

어떤 분수의 분모와 분자에 각각 5를 더한 다음 분모와 분자를 각각 6으로 나누었더니 $\frac{3}{10}$이 되었습니다. 어떤 분수의 분모와 분자의 합을 구하시오.

( )

거꾸로 생각하여 처음의 분수를 구합니다.

27 어떤 분수의 분모와 분자에 각각 4를 더한 다음 분모와 분자를 각각 3으로 나누었더니 $\frac{7}{16}$이 되었습니다. 어떤 분수의 분모와 분자의 차를 구하시오.

( )

28 $\frac{23}{31}$의 분모와 분자에서 각각 같은 수를 뺀 후 약분하였더니 $\frac{5}{7}$가 되었습니다. 분모와 분자에서 뺀 수를 구하시오.

( )

정답률 62.2%

유형 15 기약분수의 개수 구하기

분모가 15인 진분수 중에서 기약분수는 모두 몇 개입니까?

( )개

분모가 ■인 진분수 중에서 기약분수를 구할 때 분자는 1부터 (■－1)까지의 수 중에서 1을 제외한 ■의 약수로 나눌 수 없는 수입니다.

정답률 60.9%

유형 16 □ 안에 들어갈 수 있는 자연수 구하기

□ 안에 들어갈 수 있는 자연수는 모두 몇 개입니까?

$$\frac{1}{24} < \frac{\square}{6} < \frac{2}{3}$$

( )개

세 분수를 통분한 다음 □ 안에 들어갈 수 있는 자연수를 찾습니다.

---

29 분모가 18인 진분수 중에서 기약분수는 모두 몇 개입니까?

( )개

31 □ 안에 들어갈 수 있는 자연수 중에서 가장 큰 수를 구하시오.

$$\frac{1}{36} < \frac{\square}{12} < \frac{4}{9}$$

( )

32 $\frac{\square}{24}$ 는 기약분수입니다. □ 안에 알맞은 자연수를 구하시오.

$$\frac{2}{5} < \frac{\square}{24} < 0.5$$

( )

30 분모와 분자의 합이 12인 진분수 중에서 기약분수는 모두 몇 개입니까?

( )개

정답률 60.6%

유형 17 약분할 수 없는(있는) 분수 찾기

다음과 같은 분수 20개 중 약분할 수 없는 모든 분수들의 합을 구하시오.

$$\frac{1}{10}, \ \frac{2}{10}, \ \frac{3}{10} \cdots\cdots, \ \frac{20}{10}$$

( )

약분할 수 없는 분수
⇨ 분모와 분자의 공약수가 1뿐인 분수(기약분수)

---

33 다음과 같은 분수 32개 중 약분할 수 없는 분수는 모두 몇 개입니까?

$$\frac{1}{33}, \ \frac{2}{33}, \ \frac{3}{33} \cdots\cdots, \ \frac{32}{33}$$

( )개

---

34 다음과 같은 분수 44개 중 기약분수로 나타내면 단위분수가 되는 모든 분수들의 합을 구하시오.

$$\frac{1}{45}, \ \frac{2}{45}, \ \frac{3}{45} \cdots\cdots, \ \frac{44}{45}$$

( )

정답률 60%

유형 18 조건을 만족하는 분수 구하기

┃조건┃을 만족하는 분수는 모두 몇 개입니까?

┃ 조건 ┃
• $\frac{1}{4}$보다 크고 $\frac{21}{26}$보다 작은 분수입니다.
• 분모가 13인 기약분수입니다.

( )개

분모가 서로 다른 분수의 크기 비교를 할 때에는 먼저 분수를 통분하여 분모를 같게 만듭니다.

---

35 ┃조건┃을 만족하는 분수는 모두 몇 개입니까?

┃ 조건 ┃
• $\frac{1}{8}$보다 크고 $\frac{17}{32}$보다 작은 분수입니다.
• 분모가 16인 기약분수입니다.

( )개

---

36 $\frac{1}{3}$보다 크고 $\frac{13}{24}$보다 작은 분수 중에서 분모가 48인 모든 기약분수들의 합을 구하시오.

( )

유형 4

1 기약분수가 <u>아닌</u> 것은 어느 것입니까?
······················· ( )

① $\dfrac{2}{3}$ ② $\dfrac{4}{7}$

③ $\dfrac{9}{10}$ ④ $\dfrac{7}{18}$

⑤ $\dfrac{12}{21}$

유형 3

3 $\dfrac{3}{10}$ 과 $\dfrac{4}{15}$ 를 통분할 때 공통분모가 될 수 <u>없는</u> 수는 어느 것입니까? ················ ( )

① 30 ② 60

③ 90 ④ 100

⑤ 120

유형 1

2 $\dfrac{30}{42}$ 과 크기가 같은 분수는 모두 몇 개입니까?

$$\dfrac{5}{7}, \quad \dfrac{5}{14}, \quad \dfrac{15}{21}, \quad \dfrac{10}{12}$$

( )개

유형 5

4 $\dfrac{15}{45}$ 를 한 번만 약분하여 기약분수로 나타내려고 합니다. 분모와 분자를 어떤 수로 나누어야 합니까?

( )

유형 6

5 두 분수를 통분하려고 합니다. 공통분모가 될 수 있는 수 중에서 가장 작은 수를 구하시오.

$$\left(\frac{7}{12}, \frac{11}{18} \right)$$

(　　　　　)

유형 11

7 $\frac{30}{36}$ 과 크기가 같은 분수 중에서 분모가 20보다 작은 분수는 모두 몇 개입니까?

(　　　　　)개

유형 10

6 $\frac{50}{60}$ 을 약분하려고 합니다. 1을 제외하고 분모와 분자를 나눌 수 있는 수는 모두 몇 개입니까?

(　　　　　)개

유형 9

8 두 분수를 통분하였습니다. ㉠+㉡을 구하시오.

$$\left(\frac{㉠}{6}, \frac{7}{㉡} \right) \Rightarrow \left(\frac{20}{24}, \frac{21}{24} \right)$$

(　　　　　)

유형 **7**

9 분모와 분자의 합이 78이고, 약분하면 $\dfrac{4}{9}$가 되는 분수를 구하시오.

(　　　　　　)

유형 **16**

11 □ 안에 들어갈 수 있는 자연수 중에서 가장 큰 수를 구하시오.

$$\frac{5}{6} > \frac{\square}{15} > \frac{2}{5}$$

(　　　　　　)

유형 **12**

10 $\dfrac{8}{13}$의 분자에 16을 더한 분수가 $\dfrac{8}{13}$과 크기가 같아지려면 분모에 얼마를 더해야 합니까?

(　　　　　　)

유형 **18**

12 ┃조건┃을 만족하는 분수는 모두 몇 개입니까?

┃ 조건 ┃
- $\dfrac{5}{8}$보다 크고 $\dfrac{11}{12}$보다 작은 분수입니다.
- 분모가 24인 기약분수입니다.

(　　　　　　)개

정답률 96.9%

유형 1 분수의 덧셈

□ 안에 알맞은 수를 구하시오.

$$\frac{2}{3}+\frac{3}{5}=1\frac{□}{15}$$

(   )

핵심

두 분모의 곱을 공통분모로 하거나 두 분모의 최소공배수를 공통분모로 하여 통분한 후 계산합니다.

1 □ 안에 알맞은 수를 구하시오.

$$3\frac{7}{8}+1\frac{3}{10}=5\frac{□}{40}$$

(   )

정답률 89.2%

유형 2 분수의 뺄셈

다음을 계산한 결과는 $\frac{1}{12}$이 몇 개인 수입니까?

$$4\frac{1}{6}-3\frac{3}{4}$$

(   )개

핵심

$\frac{■}{▲}$는 $\frac{1}{■}$이 ▲개인 수입니다.

2 다음을 계산한 결과는 $\frac{1}{45}$이 몇 개인 수입니까?

$$\frac{11}{15}-\frac{4}{9}$$

(   )개

정답률 88.5%

유형 3 도형의 길이 구하기

삼각형의 세 변의 길이의 합은 몇 cm입니까?

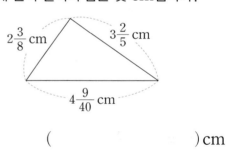

(   ) cm

핵심

세 수의 덧셈은 앞에서부터 차례로 계산합니다.

3 이등변삼각형입니다. 삼각형의 세 변의 길이의 합은 몇 cm입니까?

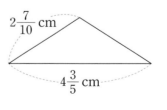

(   ) cm

정답률 87.3%

유형 4 세 분수의 덧셈과 뺄셈

㉠에 알맞은 수를 구하시오.

$$\frac{5}{9} + \frac{2}{3} - \frac{5}{12} = \frac{㉠}{36}$$

(   )

 세 분수의 덧셈과 뺄셈은 앞에서부터 두 분수씩 차례로 계산하거나 세 분수를 한꺼번에 통분하여 계산합니다.

정답률 86%

유형 5 계산 결과가 1보다 큰 것 찾기

계산 결과가 1보다 큰 것은 어느 것입니까?
·· (   )

① $\frac{3}{4} + \frac{1}{10}$ ② $\frac{1}{6} + \frac{4}{9}$

③ $\frac{3}{8} + \frac{3}{4}$ ④ $\frac{2}{9} + \frac{5}{12}$

⑤ $\frac{4}{7} + \frac{1}{9}$

받아올림이 있는 진분수의 덧셈을 찾습니다.

4 ㉠에 알맞은 수를 구하시오.

$$\frac{7}{8} - \frac{2}{5} + \frac{3}{20} = \frac{㉠}{8}$$

(   )

6 계산 결과가 1보다 큰 것은 어느 것입니까?
·· (   )

① $\frac{2}{3} + \frac{1}{5}$ ② $\frac{2}{9} + \frac{4}{5}$

③ $\frac{2}{15} + \frac{7}{10}$ ④ $\frac{1}{3} + \frac{3}{8}$

⑤ $\frac{1}{8} + \frac{3}{10}$

5 ㉮−㉰+㉯의 값을 구하시오.

| ㉮ $2\frac{3}{4}$ | ㉯ $1\frac{5}{12}$ | ㉰ $\frac{1}{6}$ |

(   )

7 계산 결과가 1보다 큰 식은 모두 몇 개입니까?

| ㉠ $\frac{1}{3} + \frac{2}{9}$ | ㉡ $\frac{1}{4} + \frac{6}{7}$ |
| ㉢ $\frac{3}{10} + \frac{5}{8}$ | ㉣ $\frac{3}{8} + \frac{11}{12}$ |

(   )개

정답률 85%

유형 6 덧셈과 뺄셈의 관계

□ 안에 알맞은 기약분수를 $\dfrac{ⓒ}{ⓒ}$이라 할 때 ⑤＋ⓒ을 구하시오.

$$\dfrac{7}{20}+\square=\dfrac{11}{15}$$

(   )

덧셈과 뺄셈의 관계를 이용합니다.

▲＋■＝● ⇨ ■＝●－▲

정답률 84.7%

유형 7 분수의 덧셈과 뺄셈

⑤＋ⓒ의 값을 구하시오.

$$\cdot\ 3\dfrac{1}{4}+1\dfrac{2}{3}=4\dfrac{ⓢ}{12}$$
$$\cdot\ 5\dfrac{8}{9}-1\dfrac{5}{6}=4\dfrac{ⓒ}{18}$$

(   )

대분수의 덧셈과 뺄셈은 자연수는 자연수끼리, 분수는 분수끼리 계산하거나 대분수를 가분수로 나타내어 계산합니다.

---

8 □ 안에 알맞은 수를 구하시오.

$$\square+2\dfrac{5}{6}=3\dfrac{3}{8}$$

(   )

---

9 □ 안에 알맞은 수를 구하시오.

$$\square-\dfrac{3}{4}-\dfrac{1}{2}=\dfrac{5}{6}$$

(   )

---

10 ⑤＋ⓒ의 값을 구하시오.

$$\cdot\ 2\dfrac{2}{5}+1\dfrac{1}{2}=3\dfrac{ⓢ}{10}$$
$$\cdot\ 6\dfrac{3}{8}-2\dfrac{9}{14}=3\dfrac{ⓒ}{56}$$

(   )

---

11 ⑤－ⓒ의 값을 구하시오.

$$\cdot\ \dfrac{2}{3}+\dfrac{4}{9}+\dfrac{5}{6}=1\dfrac{ⓢ}{18}$$
$$\cdot\ \dfrac{14}{15}-\dfrac{2}{5}-\dfrac{1}{3}=\dfrac{ⓒ}{5}$$

(   )

유형 8 수직선을 이용한 분수의 계산

● $\dfrac{\bigstar}{12}$ 은 대분수입니다. ★에 알맞은 수를 구하시오.

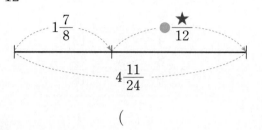

( )

핵심
수직선에서 화살표가 한 방향으로만 갔으므로 분수의 덧셈식으로 나타낼 수 있습니다.

12 ☐ 안에 알맞은 수를 구하시오.

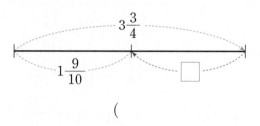

( )

13 ☐ 안에 알맞은 수를 구하시오.

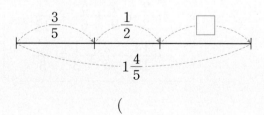

( )

유형 9 색 테이프의 길이 구하기

길이가 각각 $1\dfrac{3}{8}$ m인 색 테이프 2장을 그림과 같이 $\dfrac{5}{12}$ m만큼 겹치게 이어 붙였습니다. 이어 붙인 색 테이프 전체의 길이는 어느 것입니까?

.... ( )

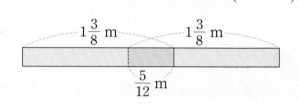

① $2\dfrac{3}{4}$ m   ② $2\dfrac{2}{3}$ m   ③ $3\dfrac{1}{6}$ m

④ $2\dfrac{1}{3}$ m   ⑤ $2\dfrac{5}{6}$ m

핵심
색 테이프를 ■장 겹치게 이어 붙였을 때 겹치는 부분:
(■−1)군데

14 길이가 각각 $2\dfrac{8}{15}$ m인 색 테이프 2장을 그림과 같이 $\dfrac{3}{5}$ m만큼 겹치게 이어 붙였습니다. 이어 붙인 색 테이프 전체의 길이는 몇 m입니까?

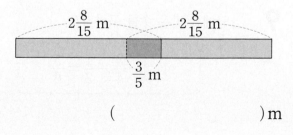

( ) m

정답률 77.7%

유형 10 세 분수의 계산 활용

주어진 분수 중 가장 큰 분수에서 나머지 두 분수를 뺀 값을 기약분수로 나타내었을 때, 분모와 분자의 차를 구하시오.

$$\frac{7}{8} \qquad \frac{1}{6} \qquad \frac{1}{4}$$

( )

핵심

세 분수를 통분하여 가장 큰 수를 알아봅니다.

15 주어진 분수 중 가장 큰 분수에서 나머지 두 분수를 뺀 값을 구하시오.

$$\frac{1}{4} \qquad \frac{3}{5} \qquad \frac{3}{10}$$

( )

16 주어진 분수 중 가장 큰 분수와 가장 작은 분수의 합에서 나머지 분수를 뺀 값을 구하시오.

$$\frac{2}{3} \qquad \frac{4}{9} \qquad \frac{3}{5}$$

( )

정답률 75%

유형 11 수 카드로 만든 분수의 합과 차 구하기

3장의 수 카드를 한 번씩만 사용하여 만들 수 있는 가장 큰 대분수와 가장 작은 대분수의 합은 어느 것입니까? .... ( )

① $5\frac{1}{4}$ ② $6\frac{1}{12}$ ③ $7\frac{7}{12}$

④ 5 ⑤ $6\frac{7}{12}$

핵심

• 가장 큰 대분수: 자연수 부분에 가장 큰 수를 놓습니다.
• 가장 작은 대분수: 자연수 부분에 가장 작은 수를 놓습니다.

17 3장의 수 카드를 한 번씩만 사용하여 만들 수 있는 가장 큰 대분수와 가장 작은 대분수의 차를 구하시오.

2   5   6

( )

18 3장의 수 카드 중 2장을 골라 한 번씩만 사용하여 진분수를 만들려고 합니다. 만든 두 진분수의 합이 가장 클 때 그 합을 구하시오.

( )

| 정답률 68.9%

유형 12 분수를 이용하여 시간 구하기

도형이는 $\frac{1}{6}$ 시간 동안 줄넘기를 하였고, $\frac{3}{10}$ 시간 동안 달리기를 하였습니다. 도형이가 줄넘기와 달리기를 한 시간은 모두 몇 분입니까?

( )분

 1시간=60분이므로 $\frac{\blacksquare}{60}$ 시간=■분입니다.

| 정답률 62.8%

유형 13 □ 안에 들어갈 수 있는 자연수 구하기

□ 안에 들어갈 수 있는 자연수는 모두 몇 개입니까?

$$2\frac{4}{5}+1\frac{3}{7}<□<10\frac{1}{4}-2\frac{5}{6}$$

( )개

예 $3\frac{1}{2}<□<5\frac{1}{3}$ ⇨ □ 안에 들어갈 수 있는 자연수는 3보다 크고 5와 같거나 작은 수인 4, 5입니다.

---

19 은호는 국어 숙제를 하는 데 $\frac{5}{12}$ 시간, 수학 숙제를 하는 데 $\frac{4}{5}$ 시간이 걸렸습니다. 은호가 국어 숙제와 수학 숙제를 하는 데 걸린 시간의 차는 몇 분입니까?

( )분

---

21 □ 안에 들어갈 수 있는 자연수는 모두 몇 개입니까?

$$3\frac{7}{8}+2\frac{9}{10}<□<12\frac{2}{9}-1\frac{11}{15}$$

( )개

---

20 재한이는 할머니 댁에 가는 데 기차로 $1\frac{3}{10}$ 시간, 버스로 $\frac{7}{12}$ 시간, 걸어서 10분을 갔습니다. 재한이가 할머니 댁까지 가는 데 걸린 시간은 몇 시간 몇 분입니까?

( )시간 ( )분

---

22 □ 안에 들어갈 수 있는 자연수는 모두 몇 개입니까?

$$4\frac{3}{4}-\frac{1}{2}-\frac{2}{3}<□<2\frac{3}{8}+4\frac{1}{6}$$

( )개

유형 14 일을 끝내는 데 걸리는 시간 구하기

하루 동안 어떤 일을 가은이가 혼자서 하면 전체의 $\frac{1}{4}$을 할 수 있고, 재혁이가 혼자서 하면 전체의 $\frac{1}{12}$을 할 수 있습니다. 이 일을 처음부터 두 사람이 함께 한다면 일을 모두 끝내는 데 며칠이 걸리겠습니까? (단, 두 사람이 하루에 하는 일의 양은 각각 일정하고 쉬는 날은 없습니다.)

(   )일

핵심

하루 동안 전체 일의 $\frac{1}{\blacksquare}$을 하면 일을 모두 끝내는 데 ■일이 걸립니다.

유형 15 □ 안에 들어갈 수 있는 자연수 구하기

□ 안에 들어갈 수 있는 자연수는 모두 몇 개입니까?

$$\frac{9}{20}+\frac{\square}{16}<1$$

(   )개

핵심

분수를 통분하여 분자의 크기를 비교합니다.

24 □ 안에 들어갈 수 있는 자연수는 모두 몇 개입니까?

$$\frac{5}{12}+\frac{\square}{9}<1$$

(   )개

23 하루 동안 어떤 일을 해영이가 혼자서 하면 전체의 $\frac{1}{9}$을 할 수 있고, 수현이가 혼자서 하면 전체의 $\frac{1}{18}$을 할 수 있습니다. 이 일을 처음부터 두 사람이 함께 한다면 일을 모두 끝내는 데 며칠이 걸리겠습니까? (단, 두 사람이 하루에 하는 일의 양은 각각 일정하고 쉬는 날은 없습니다.)

(   )일

25 □ 안에 들어갈 수 있는 자연수는 모두 몇 개입니까?

$$\frac{2}{3}<\frac{5}{9}+\frac{\square}{6}<1$$

(   )개

유형 **1**

1 ㉠에 알맞은 수를 구하시오.

$$2\frac{4}{5}-1\frac{1}{4}=2\frac{\square}{20}-1\frac{\square}{20}=1\frac{㉠}{20}$$

( )

유형 **2**

2 다음을 계산한 결과는 $\frac{1}{24}$이 몇 개인 수입니까?

$$\frac{1}{6}+\frac{3}{8}$$

( )개

유형 **3**

3 직사각형의 가로와 세로의 합은 몇 cm입니까?

$1\frac{8}{15}$ cm

$2\frac{5}{6}$ cm

( ) cm

유형 **5**

4 계산 결과가 1보다 큰 것은 어느 것입니까?

( )

① $\frac{1}{4}+\frac{5}{12}$ ② $\frac{5}{8}+\frac{1}{6}$

③ $\frac{2}{3}+\frac{2}{9}$ ④ $\frac{1}{2}+\frac{3}{5}$

⑤ $\frac{3}{4}+\frac{1}{8}$

유형 8

5 ㉠에서 ㉡까지의 거리는 몇 m입니까?

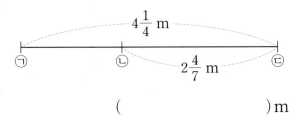

(   ) m

유형 4

6 ㉠에 알맞은 수를 구하시오.

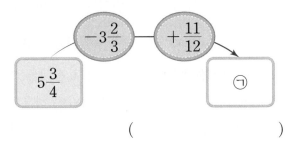

(   )

유형 6

7 □ 안에 알맞은 수를 구하시오.

$$\square - \frac{8}{9} = \frac{5}{12}$$

(   )

유형 10

8 주어진 분수 중 가장 큰 분수에서 나머지 두 분수를 뺀 값을 구하시오.

| $\frac{2}{5}$ | $\frac{1}{3}$ | $\frac{13}{15}$ |

(   )

9 유형 **9**

길이가 각각 $1\frac{3}{5}$ m인 색 테이프 2장을 그림과 같이 겹치게 이어 붙였더니 이어 붙인 색 테이프 전체의 길이가 $2\frac{1}{2}$ m였습니다. 겹친 부분의 길이는 몇 m입니까?

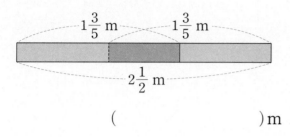

(   )m

10 유형 **13**

□ 안에 들어갈 수 있는 자연수는 모두 몇 개입니까?

$$4\frac{3}{8}+1\frac{5}{6}<\square<9$$

(   )개

11 유형 **11**

4장의 수 카드 중 3장을 골라 한 번씩만 사용하여 만들 수 있는 가장 큰 대분수와 가장 작은 대분수의 차를 구하시오.

| 3 | 4 | 5 | 6 |

(   )

12 유형 **14**

하루 동안 어떤 일을 연우가 혼자서 하면 전체의 $\frac{1}{3}$을 할 수 있고, 민재가 혼자서 하면 전체의 $\frac{1}{6}$을 할 수 있습니다. 이 일을 처음부터 두 사람이 함께 한다면 일을 모두 끝내는 데 며칠이 걸리겠습니까? (단, 두 사람이 하루에 하는 일의 양은 각각 일정하고 쉬는 날은 없습니다.)

(   )일

실전 모의고사 1회

1 크기가 같은 분수가 되도록 ㉠에 알맞은 수를 구하시오.

$$\frac{36}{45} = \frac{4}{㉠}$$

(   )

2 ☐ 안에 알맞은 수를 구하시오.

$$\frac{5}{6} + \frac{3}{7} = 1\frac{☐}{42}$$

(   )

3 두 수의 최대공약수를 구하시오.

36, 108

(   )

4 분수를 한 번만 약분하여 기약분수로 나타내려고 합니다. 분모와 분자를 어떤 수로 나누어야 합니까?

$$\frac{18}{63}$$

(   )

5 두 수 가와 나의 최소공배수를 구하시오.

가 $= 3 \times 3 \times 5$ 나 $= 2 \times 3 \times 7$

(   )

6 다음 중 가장 큰 수는 어느 것입니까?
.... (   )

① $1\frac{1}{4}$ ② 1.08

③ 1.3   ④ $1\frac{1}{2}$

⑤ 0.9

7 계산을 하시오.

$$31-8\times9\div6+15$$

(   )

8 □ 안에 알맞은 수를 구하시오.

$$\frac{7}{8}+\frac{9}{10}-\frac{13}{20}=1\frac{\square}{8}$$

(   )

9 가장 큰 분수와 가장 작은 분수의 차를 기약분수로 나타냈을 때, 분모와 분자의 합을 구하시오.

$$\frac{2}{3} \qquad \frac{5}{9} \qquad \frac{7}{15}$$

(   )

10 한 모둠에 5명씩 앉아 있습니다. 모둠의 수와 학생의 수 사이의 대응 관계를 바르게 설명한 것은 어느 것입니까?·················· (   )

① 모둠의 수는 학생의 수의 5배입니다.

② 모둠의 수를 5로 나누면 학생의 수와 같습니다.

③ 모둠의 수는 학생의 수보다 5 큽니다.

④ 학생의 수는 모둠의 수보다 5 작습니다.

⑤ 모둠의 수를 □, 학생의 수를 ○라고 할 때, 두 양 사이의 대응 관계를 □×5=○로 나타낼 수 있습니다.

11 해인이는 $\dfrac{2}{3}$시간 동안 피아노 연습을 하고, $\dfrac{1}{6}$시간 동안 쉬었습니다. 해인이가 피아노 연습을 한 시간과 쉰 시간은 모두 몇 분입니까?

(   )분

12 오른쪽 수는 왼쪽 수의 배수입니다. □ 안에 들어갈 수 있는 1보다 큰 자연수는 모두 몇 개 입니까?

$$(\boxed{},\ 24)$$

(   )개

13 □ 안에 알맞은 수를 구하시오.

$$70 - 8 \times (\boxed{} - 5) + 7 = 45$$

(   )

14 태양계의 행성들은 태양의 주위를 도는 공전과 행성 스스로 도는 자전을 합니다. 우리가 사는  지구의 공전 주기는 1년, 즉 365일입니다. 태양에서부터 토성과 천왕성이 차례로 일직선을 이루었다가 다시 같은 자리에서 일직선을 이루는 때는 최소 몇 년 후입니까?

태양계 행성	지구	토성	천왕성
공전 주기	1년	30년	84년

(   )년 후

15 □ 안에 들어갈 수 있는 자연수는 모두 몇 개입니까?

$$\frac{1}{48} < \frac{\square}{12} < \frac{3}{8}$$

( )개

16 1부터 100까지의 수 중에서 3으로도 나누어떨어지고, 5로도 나누어떨어지는 수는 모두 몇 개입니까?

( )개

17 $\frac{5}{9}$ 의 분모에 36을 더하고, 분자에 얼마를 더하여 처음 분수와 크기가 같은 분수를 만들려고 합니다. 분자에 얼마를 더해야 합니까?

( )

18 어느 박물관에서 어제까지 4000원이었던 입장료가 오늘 3600원으로 내렸더니 오늘 입장료의 수입은 어제보다 258000원이 늘었고, 입장한 사람은 80명 더 많았다고 합니다. 어제 입장한 사람은 몇 명입니까?

( )명

19 6명씩 앉을 수 있는 탁자가 있습니다. 탁자 10개를 그림과 같이 한 줄로 이어 붙이면 몇 명까지 앉을 수 있습니까?

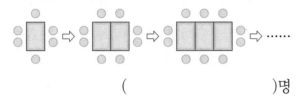

( )명

20 어떤 수를 8로 나누면 3이 남고, 12로 나누면 7이 남습니다. 어떤 수가 될 수 있는 수 중에서 가장 작은 세 자리 수를 구하시오.

( )

21 귤이 가득 들어 있는 상자의 무게를 재었더니 $13\frac{4}{5}$ kg이었습니다. 귤의 $\frac{1}{4}$ 을 덜어 내고 무게를 재었더니 $10\frac{11}{20}$ kg이었을 때 빈 상자의 무게는 몇 g입니까?

( )g

22 어떤 일을 하는 데 은탁이가 혼자서 하면 5일이 걸리고, 동욱이가 혼자서 하면 20일이 걸립니다. 이 일을 두 사람이 함께 한다면 일을 모두 끝내는 데 며칠이 걸리겠습니까? (단, 두 사람이 하루에 하는 일의 양은 각각 일정하고 쉬는 날은 없습니다.)

( )일

23 다음을 보고 ㉠과 ㉡에 알맞은 수의 차를 구하시오.

$$\frac{㉡}{㉠+8}=\frac{1}{2}, \quad \frac{㉡}{㉠+15}=\frac{1}{3}$$

( )

24 다음과 같은 규칙에 따라 정사각형 모양을 그리고 있습니다. 이때 찾을 수 있는 크고 작은 정사각형이 650개인 모양은 몇 째입니까?

첫째   둘째   셋째   넷째

......

( )째

25 분수 $\frac{18}{36}$을 약분하면 $\frac{1}{2}$, $\frac{2}{4}$, $\frac{3}{6}$, $\frac{6}{12}$, $\frac{9}{18}$와 같이 5개의 분수로 나타낼 수 있습니다. 분모가 48인 진분수 중에서 분수 $\frac{18}{36}$과 같이 약분하여 분수 5개로만 나타낼 수 있는 분수는 모두 몇 개입니까?

( )개

실전 모의고사 2회

점수

1 가장 먼저 계산해야 할 부분은 어느 것입니까?
.... (   )

$$54+(16-8)\times 4\div 2+12$$

① $54+16$　　　② $16-8$

③ 8×4　　　④ $4\div 2$

⑤ $2+12$

2 $\dfrac{8}{24}$과 크기가 같은 분수를 만들려고 합니다. ㉠에 알맞은 수를 구하시오.

$$\dfrac{8}{24}=\dfrac{8\div ㉠}{24\div 4}$$

(　　　　　)

3 다음 중 12의 약수가 <u>아닌</u> 것은 어느 것입니까? .... (   )

① 1　　　　② 3

③ 6　　　　④ 10

⑤ 12

4 크기가 같은 분수가 되도록 □ 안에 알맞은 수를 구하시오.

$$\dfrac{5}{6}=\dfrac{\boxed{}}{126}$$

(　　　　　)

5 다음을 계산한 결과는 $\dfrac{1}{40}$이 몇 개인 수입니까?

$$\dfrac{9}{8}-\dfrac{11}{20}$$

(　　　　　)개

실전
모의
고사

6 계산을 하시오.

$$15 + 8 \times 4 - 13$$

( )

7 분모가 12인 진분수 중에서 기약분수는 모두 몇 개입니까?

( )개

8 잠자리의 수와 잠자리 날개의 수 사이의 대응 관계를 나타낸 표입니다. 잠자리 날개의 수가 52장일 때 잠자리는 몇 마리인지 구하시오.

잠자리의 수(마리)	1	2	3	4	……
잠자리 날개의 수(장)	4	8	12	16	……

( )마리

9 약수의 개수가 가장 많은 수를 찾아 쓰시오.

21, 36, 49, 56

( )

10 □ 안에 알맞은 기약분수를 $\frac{\textcircled{\tiny ①}}{\textcircled{\tiny ②}}$이라 할 때 $\textcircled{\tiny ③} + \textcircled{\tiny ①} - \textcircled{\tiny ②}$을 구하시오.

$$\square + 1\frac{1}{12} = 2\frac{17}{24}$$

( )

11 어떤 수의 배수를 가장 작은 수부터 쓴 것입니다. 14번째의 수를 구하시오.

> 5, 10, 15, 20, 25……

(   )

12 ⊙와 ♡ 사이의 대응 관계를 나타낸 표입니다. ⊙가 45일 때 ♡는 얼마인지 구하시오.

⊙	9	11	13	15	17	……
♡	20	22	24	26	28	……

(   )

13 정은이는 사탕을 70개 가지고 있고, 성연이는 정은이가 가진 사탕의 3배보다 30개 더 많이 가지고 있습니다. 성연이가 가지고 있는 사탕을 한 사람에게 15개씩 나누어 준다면 몇 명에게 나누어 줄 수 있습니까?

(   )명

14 삼각형 ㄱㄴㄷ의 세 변의 길이의 합이 $5\frac{17}{20}$ cm 일 때 변 ㄴㄷ의 길이를 기약분수로 나타내면 $\bigcirc\frac{\bigcirc}{\bigcirc}$ cm입니다. ㉠+㉡+㉢을 구하시오.

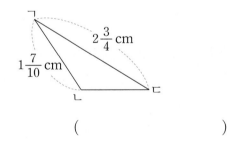

(   )

15 조선 시대에 강우량을 과학적으로 측정하는 측우기를 세계 최초로 만들었습니다. 다음은 측우기로 비가 내린 양을 잰 것입니다. 비가 가장 많이 내린 요일과 가장 적게 내린 요일의 비가 내린 양을 찾아 두 분모의 최소공배수를 공통분모로 하여 통분하려고 합니다. 통분한 두 분수의 분자의 차는 얼마입니까?

▲ 측우기

비가 내린 양

요일	월	화	수
비가 내린 양(cm)	$\frac{3}{5}$	$\frac{8}{15}$	$\frac{5}{6}$

(   )

16 ㉠▲㉡은 ㉠과 ㉡의 최대공약수, ㉠◎㉡은 ㉠과 ㉡의 최소공배수라고 약속할 때, 다음을 구하시오.

(6◎8)▲36

(   )

17 하루 동안 어떤 일을 동주가 혼자서 하면 전체의 $\frac{1}{6}$을 할 수 있고, 수아가 혼자서 하면 전체의 $\frac{1}{12}$을 할 수 있습니다. 이 일을 두 사람이 함께 한다면 일을 모두 끝내는 데 며칠이 걸리겠습니까? (단, 두 사람이 하루에 하는 일의 양은 각각 일정하고 쉬는 날은 없습니다.)

(   )일

18 $\frac{3}{8}$보다 크고 $\frac{7}{12}$보다 작은 수 중에서 분모가 24인 기약분수는 모두 몇 개입니까?

(   )개

19 올해 어머니의 나이는 7의 배수이고, 내년에는 약수가 2개뿐인 수가 됩니다. 올해 어머니의 나이가 30살보다 많고 60살보다 적을 때 내년에 어머니의 나이는 몇 살입니까?

(   )살

21 어떤 두 기약분수를 공통분모를 70으로 하여 통분하였더니 통분한 두 분수의 분자의 합은 37, 차는 7이 되었습니다. 이 두 기약분수의 분자의 합을 구하시오.

(   )

20 51과 33을 어떤 수로 각각 나누면 나머지가 모두 3입니다. 어떤 수를 구하시오.

> - 51 ÷ (어떤 수) = ■ ⋯ 3
> - 33 ÷ (어떤 수) = ● ⋯ 3

(   )

22 ▐ 조건 ▐을 모두 만족하는 ㉠과 ㉡에 알맞은 수의 합을 구하시오.

> ▐ 조건 ▐
> - ㉠과 ㉡은 84의 약수입니다.
> - (㉠−1) × (㉡−1) = 60

(   )

23 긴 통나무를 14도막으로 자르려고 합니다. 한 번 자르는 데 8분이 걸리고 한 번 자르고 나면 2분씩 쉰다고 합니다. 오전 8시에 통나무를 자르기 시작하면 오전 ●시 ▲분에 끝납니다. ●＋▲를 구하시오.

( )

24 수지네 집은 매일 우유를 한 개씩 배달 받아서 마십니다. 4월 중에 우유 한 개의 값이 700원에서 730원으로 올라 4월 한 달 우윳값으로 21420원을 냈습니다. 우윳값이 700원인 날은 4월 며칠까지였습니까?

( )일

25 □ 안에 1, 2, 3, 4의 수 카드를 한 번씩만 사용하여 다음 식을 계산하였더니 계산 결과가 자연수가 되었습니다. 계산 결과가 될 수 있는 모든 자연수들의 합을 구하시오.

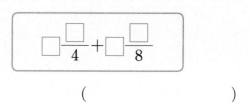

( )

실전 모의고사 3회

1 계산을 하시오.

$$20 \div 4 \times 5$$

( )

2 $\dfrac{21}{35}$ 을 기약분수로 나타내면 $\dfrac{\bigstar}{\blacklozenge}$입니다.

$\bigstar + \blacklozenge$는 얼마입니까?

( )

3 □ 안에 알맞은 수를 구하시오.

$$\frac{3}{4} + \frac{5}{6} = 1\frac{\square}{12}$$

( )

4 두 수의 최소공배수를 구하시오.

$$36, \quad 28$$

( )

5 두 수가 약수와 배수의 관계인 것은 어느 것입니까? ································ ( )

① (18, 8) ② (24, 7)

③ (48, 5) ④ (63, 13)

⑤ (54, 9)

6 6의 배수가 <u>아닌</u> 수를 찾아 쓰시오.

> 528, 144, 188, 924

( )

7 우리나라는 행정구역상 9개의 도가 있습니다. 이 중 강원도의 넓이는 우리나라 전체 넓이의 약 $\frac{4}{25}$입니다. $\frac{4}{25}$와 크기가 같은 분수는 모두 몇 개입니까?

> $\frac{8}{50}$, $\frac{6}{100}$, $\frac{12}{75}$, $\frac{20}{125}$, $\frac{28}{200}$

( )개

8 약수의 개수가 가장 많은 수는 어느 것입니까?
.... ( )

① 16   ② 25
③ 36   ④ 48
⑤ 57

9 ㉠과 ㉡에 알맞은 수의 차를 구하시오.

> $\frac{㉠}{4} = \frac{12}{16} = \frac{24}{㉡}$

( )

10 은아네 샤워기에서는 1분에 12 L의 물이 나옵니다. 샤워기를 사용한 시간을 △(분), 나온 물의 양을 ☆(L)라고 할 때, 두 양 사이의 대응 관계를 식으로 바르게 나타낸 것은 어느 것입니까? .... ( )

① $△ ÷ 12 = ☆$ ② $☆ + 12 = △$
③ $☆ - 12 = △$ ④ $△ × 12 = ☆$
⑤ $△ + 12 = ☆$

11 어떤 두 수의 최대공약수는 24입니다. 이 두 수의 공약수는 모두 몇 개입니까?

(   )개

12 ♡와 ◇ 사이의 대응 관계를 나타낸 표입니다. ㉠과 ㉡에 알맞은 수의 합을 구하시오.

♡	10	25	15	30	㉡	55
◇	2	5	㉠	6	9	11

(   )

13 한 자루에 10개씩 들어 있는 감자가 6자루 있습니다. 자루를 모두 열어 보니 4개가 썩어서 버리고, 남은 감자를 8봉지에 똑같이 나누어 담았습니다. 한 봉지에 담은 감자는 몇 개입니까?

(   )개

14 ☐ 안에 들어갈 수 있는 자연수는 모두 몇 개입니까?

$$\square + 80 \div (10 \times 3 - 14) < 41$$

(   )개

15 □ 안에 들어갈 수 있는 자연수는 모두 몇 개입니까?

$$0.428 < \frac{\square}{8} < \frac{33}{40}$$

( )개

16 다음과 같이 약속할 때 $\begin{bmatrix} \bigstar & 102 \\ 6 & 15 \end{bmatrix} = 43$에서 ★에 알맞은 수를 구하시오.

$$\begin{bmatrix} ㉮ & ㉯ \\ ㉰ & ㉱ \end{bmatrix} = ㉮ \times ㉱ - ㉯ \div ㉰$$

( )

17 길이가 같은 색 테이프 3장을 $\frac{3}{8}$ m씩 겹치게 한 줄로 길게 이어 붙였더니 색 테이프 전체의 길이가 $2\frac{7}{10}$ m가 되었습니다. 색 테이프 한 장의 길이가 ▲$\frac{★}{20}$ m일 때 ▲＋★을 구하시오.

( )

18 □ 안에 들어갈 수 있는 모든 자연수들의 합을 구하시오.

$$\frac{3}{7} + \frac{\square}{9} < 1$$

( )

19 어떤 분수의 분모와 분자에 각각 3을 더한 다음 분모와 분자를 각각 4로 나누었더니 $\dfrac{5}{17}$가 되었습니다. 어떤 분수의 분모와 분자의 합을 구하시오.

(   )

20 24로 나누어도 3이 남고, 32로 나누어도 3이 남는 수 중에서 200에 가장 가까운 수를 구하시오.

(   )

21 분모가 85인 진분수 중에서 약분이 되는 분수는 모두 몇 개입니까?

(   )개

22 소진이가 철사로 모빌과 등을 만들려고 합니다. 모빌을 만드는 데 철사 전체의 $\dfrac{3}{8}$을 사용하고, 등을 만드는 데 철사 전체의 $\dfrac{2}{5}$를 사용한 후 남은 부분의 길이를 재어 보니 36 cm였습니다. 처음 철사의 길이는 몇 cm입니까?

(   ) cm

23 다음과 같이 규칙에 따라 바둑돌을 늘어놓았습니다. 10째에 놓인 흰색 바둑돌과 검은색 바둑돌의 수의 차는 몇 개입니까?

첫째　　둘째　　셋째　　　넷째

(　　　　　　　)개

24 표에서 가로, 세로, 대각선에 있는 세 수의 합은 모두 같습니다. 이때 ㉠－㉡의 값이 $\dfrac{\square}{18}$ 일 때 $\square$ 안에 알맞은 수를 구하시오.

		㉠
㉡		$3\frac{4}{9}$
$2\frac{5}{6}$		

(　　　　　　　)

25 성냥개비 163개로 그림과 같이 삼각형과 사각형을 번갈아 가며 만들었습니다. 성냥개비 1개를 한 변으로 하는 삼각형과 사각형을 모두 몇 개까지 만들 수 있습니까?

(　　　　　　　)개

실전 모의고사 4회

점수

1 분모의 곱을 공통분모로 하여 통분한 것입니다. □ 안에 알맞은 수를 구하시오.

$$\left(\frac{2}{3}, \frac{1}{7}\right) \Rightarrow \left(\frac{14}{21}, \frac{\square}{21}\right)$$

( )

2 가장 먼저 계산해야 할 부분은 어느 것입니까? ……………………………… ( )

$$70 \div (10 - 4 \times 2) + 42 - 18$$

① $70 \div 10$ ② $10 - 4$

③ 4×2 ④ $2 + 42$

⑤ $42 - 18$

3 3의 배수는 모두 몇 개입니까?

48, 52, 9, 70, 93

( )개

4 기약분수가 아닌 것은 어느 것입니까? ……………………………… ( )

① $\frac{2}{7}$ ② $\frac{5}{9}$

③ $\frac{3}{4}$ ④ $\frac{7}{10}$

⑤ $\frac{9}{18}$

5 두 수의 최소공배수를 구하시오.

30, 45

( )

실전 모의 고사

6 표를 보고 △와 ○ 사이의 대응 관계를 식으로 나타내려고 합니다. □ 안에 알맞은 수를 구하시오.

△	3	5	7	9	……
○	15	25	35	45	……

$$△ × \boxed{} = ○$$

( )

7 $\dfrac{28}{42}$ 을 한 번만 약분하여 기약분수로 나타내려고 합니다. 분모와 분자를 어떤 수로 나누어야 합니까?

( )

8 계산을 하시오.

$$88 + 3 × 36 ÷ (25 - 16)$$

( )

9 약수의 개수가 가장 많은 수를 찾아 쓰시오.

16, 43, 28, 30

( )

10 □ 안에 알맞은 자연수를 구하시오.

$$\dfrac{2}{15} < \dfrac{\boxed{}}{20} < \dfrac{1}{6}$$

( )

11 ◇와 ◎ 사이의 대응 관계를 나타낸 표입니다. ◇가 195일 때 ◎는 얼마인지 구하시오.

◇	39	65	91	117	143	……
◎	3	5	7	9	11	……

(   )

12 기계 ㉮와 ㉯가 있습니다. 정기점검을 ㉮는 12일마다, ㉯는 20일마다 실시합니다. 오늘 두 기계를 함께 점검하였다면 바로 다음번에 두 기계를 동시에 점검하는 날은 며칠 후입니까?

(   )일 후

13 주어진 분수 중 가장 큰 분수와 가장 작은 분수의 합에서 나머지 분수를 뺀 값을 기약분수로 나타냈을 때, 분자는 얼마입니까?

$$\frac{2}{3} \qquad \frac{8}{9} \qquad \frac{4}{5}$$

(   )

14 4장의 수 카드 중에서 3장을 골라 한 번씩만 사용하여 대분수를 만들려고 합니다. 만들 수 있는 가장 큰 대분수와 가장 작은 대분수의 합을 $▲\dfrac{■}{56}$라고 할 때, $▲+■$를 구하시오.

(   )

15 지은이는 도서관에서 $1\frac{3}{4}$ 시간 동안 책을 읽은 다음 도서관의 식당에서 40분 동안 점심을 먹었습니다. 점심을 먹고 난 후 $1\frac{1}{2}$ 시간 동안 책을 더 읽고 도서관에서 나왔습니다. 지은이가 도서관에 있었던 시간은 몇 분입니까?

( )분

16 ▮조건▮을 만족하는 분수는 모두 몇 개입니까?

▮조건▮
• 0.25보다 크고 $\frac{5}{7}$ 보다 작습니다.
• 분모가 28인 분수입니다.

( )개

17 온도를 나타내는 단위에는 섭씨(℃)와 화씨(℉)가 있습니다. 섭씨온도는 물의 어는점과 끓는점 사이를 100등분하여 단위로 정한 온도이고, 화씨온도는 물의 어는점과 끓는점 사이를 180등분하여 단위로 정한 온도입니다. 다음을 읽고 섭씨 15 ℃를 화씨로 나타내면 몇 도(℉)인지 구하시오.

[화씨온도와 섭씨온도의 관계]
화씨온도를 섭씨온도로 나타내려면 화씨온도에서 32를 뺀 수에 5를 곱하고 9로 나누면 섭씨온도가 됩니다.

( )℉

18 우성이와 은지가 규칙 알아맞히기 놀이를 하고 있습니다. 우성이가 3이라고 말하면 은지가 21이라고 답하고, 우성이가 9라고 말하면 은지가 27이라고 답합니다. 또, 우성이가 11이라고 말하면 은지가 29라고 답하고, 우성이가 15라고 말하면 은지가 33이라고 답합니다. 은지가 58이라고 답했다면 우성이는 어떤 수를 말했겠습니까?

( )

19 다음 수는 9의 배수입니다. □ 안에 들어갈 수 있는 두 자리 수는 모두 몇 개입니까?

$$279 + \boxed{}$$

( )개

20 은재와 민호가 어떤 일을 함께 하는 데 하루는 은재가 전체의 $\frac{1}{15}$을 하고, 다음날은 민호가 전체의 $\frac{1}{10}$을 하려고 합니다. 이와 같은 방법으로 은재와 민호가 하루씩 번갈아 가며 일을 한다면 일을 모두 끝내는 데 며칠이 걸립니까? (단, 두 사람이 하루에 하는 일의 양은 각각 일정하고 쉬는 날은 없습니다.)

( )일

21 분모가 30인 기약분수 중에서 $\frac{1}{2}$보다 크고 1보다 작은 분수는 모두 몇 개입니까?

( )개

22 다음을 만족하는 두 수 ㉠과 ㉡을 구하려고 합니다. ㉠과 ㉡에 알맞은 수 중 가장 작은 자연수의 차를 구하시오.

$$\frac{1}{90} = \frac{\text{㉡}}{\text{㉠} \times \text{㉠}}$$

( )

23 무게가 같은 달걀 15개가 들어 있는 상자의 무게를 재어 보니 970 g이었습니다. 이 상자에서 달걀 8개를 꺼낸 후 상자의 무게를 재어 보니 586 g이었습니다. 빈 상자에 무게가 같은 달걀 5개를 넣었을 때의 무게는 몇 g입니까?

(단, 상자의 무게는 각각 같습니다.)

(   )g

25 분자가 모두 4이고 분모가 두 자리 수인 서로 다른 진분수가 2개 있습니다. 이 두 분수의 분모의 최대공약수는 3이고, 최소공배수는 135입니다. 두 분수의 차를 $\dfrac{\bullet}{135}$라고 할 때 $\bullet$를 구하시오.

(   )

24 다음과 같이 수를 규칙에 따라 늘어놓았습니다. $\dfrac{1}{2}$과 크기가 같은 수는 모두 몇 개입니까?

$$2, \ \frac{1}{2}, \ 3, \ \frac{1}{3}, \ \frac{2}{3}, \ 4, \ \frac{1}{4}, \ \frac{2}{4}, \ \frac{3}{4}, \ 5\cdots\cdots, \ 200$$

(   )개

최종 모의고사 1회

점수

교재 뒤에 부록으로 있는 OMR 카드와 같이 활용하여 실제 HME 시험에 대비하세요.

1 두 수의 최대공약수를 구하시오.

28, 16

( )

2 $\dfrac{24}{36}$ 를 약분하여 기약분수로 나타낸 것입니다. ㉠에 알맞은 수를 구하시오.

$$\dfrac{24}{36} = \dfrac{㉠}{3}$$

( )

3 계산을 하시오.

$8 + 23 - 72 \div 6$

( )

4 15와 30의 공배수는 모두 몇 개입니까?

45, 60, 120, 80, 75, 150

( )개

5 종이에 누름 못을 꽂아서 게시판에 붙이고 있습니다. 종이의 수와 누름 못의 수 사이의 대응 관계를 나타낸 표에서 ㉠에 알맞은 수를 구하시오.

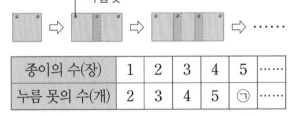

종이의 수(장)	1	2	3	4	5	……
누름 못의 수(개)	2	3	4	5	㉠	……

( )

최종
모의
고사

6 □ 안에 알맞은 수를 구하시오.

$$\frac{5}{8} + 2\frac{2}{5} = 3\frac{\square}{40}$$

( )

7 다음은 약분이 되는 진분수입니다. □ 안에 들어갈 수 있는 수는 모두 몇 개입니까?

$$\frac{\square}{21}$$

( )개

8 ㉠과 ㉡에 알맞은 수의 합을 구하시오.

$$\frac{㉠}{13} = \frac{㉡}{39} = \frac{8}{52}$$

( )

9 두 수의 합을 구하시오.

- 12와 21의 최소공배수
- 27과 72의 최대공약수

( )

10 경주 불국사에는 국보 제20호인 다보탑과 국보 제21호인 삼층석탑이 있습니다. 다보탑과 삼층석탑의 높이의 차를 기약분수로 나타내면 $\frac{㉡}{㉠}$ m라 할 때 ㉠+㉡을 구하시오.

▲ 다보탑
$10\frac{29}{100}$ m

▲ 삼층석탑
$10\frac{3}{4}$ m

( )

11 계산 결과의 차를 구하시오.

$$\cdot\ 56-12\times4+9$$
$$\cdot\ (56-12)\times4+9$$

(   )

13 삼각형의 세 변의 길이의 합은 몇 cm입니까?

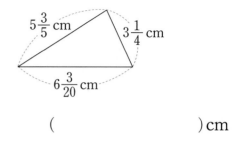

(   ) cm

12 주영이네 학교에서 재활용품을 모았습니다. 1반은 $22\dfrac{17}{30}$ kg, 2반은 $22\dfrac{11}{18}$ kg, 3반은 22.26 kg을 모았을 때 재활용품을 가장 많이 모은 반은 몇 반입니까?

(   )반

14 □ 안에 알맞은 수를 구하시오.

$$15+4\times9-\square=38$$

(   )

15 두 분수를 통분하였습니다. ㉠과 ㉡에 알맞은 수의 합을 구하시오.

$$\left(\frac{5}{㉠}, \frac{㉡}{28} \right) \Rightarrow \left(\frac{35}{84}, \frac{27}{84} \right)$$

(   )

16 어떤 수에서 $2\frac{17}{25}$ 을 뺐더니 $3\frac{3}{10}$ 이 되었습니다. 어떤 수는 어느 것입니까? ···· (   )

① $\frac{31}{50}$ ② $5\frac{49}{50}$

③ $5\frac{37}{50}$ ④ $6\frac{1}{50}$

⑤ $6\frac{9}{50}$

17 4장의 수 카드 중에서 3장을 골라 한 번씩만 사용하여 대분수를 만들려고 합니다. 만들 수 있는 가장 큰 대분수와 가장 작은 대분수의 차가 ㉠$\frac{㉡}{28}$이라고 할 때 ㉠＋㉡을 구하시오.

| 4 | 1 | 7 | 3 |

(   )

18 세 자리 수 중에서 18의 배수도 되고 42의 배수도 되는 수는 모두 몇 개입니까?

(   )개

19 어떤 수로 93과 75를 각각 나누면 나머지가 모두 3입니다. 어떤 수 중에서 가장 큰 수를 구하시오.

(   )

20 그림과 같이 끈을 점선을 따라 자르려고 합니다. 끈을 17번 자르면 끈은 몇 도막이 됩니까?

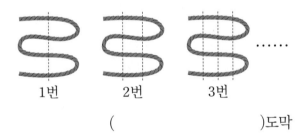

1번   2번   3번

(   )도막

21 다음 두 진분수의 크기가 같을 때, 분자가 될 수 있는 수를 (㉠, ㉡)으로 나타내려고 합니다. 나타낼 수 있는 (㉠, ㉡)은 모두 몇 가지입니까?

$$\frac{㉠}{12}, \frac{㉡}{20}$$

(   )가지

22 1보다 크고 15보다 작은 수 중에서 분모가 8인 모든 기약분수의 합은 얼마입니까?

(   )

23 일정한 규칙에 따라 수를 늘어놓은 것입니다. 처음으로 200보다 큰 수가 놓이는 것은 몇 번째입니까?

> 5, 11, 17, 23, 29, 35, 41 ······

( )번째

24 ▌조건▐을 모두 만족하는 두 수 ㉠과 ㉡의 최대공약수를 구하시오.

> ▌조건▐
> - $\dfrac{㉠}{7} = \dfrac{㉡}{3}$
> - ㉠과 ㉡의 최대공약수와 최소공배수의 합은 242입니다.

( )

25 ㉠, ㉡, ㉢, ㉣, ㉤ 5개의 마을이 나란히 있습니다. ㉠, ㉢, ㉤ 마을에서 배를 각각 50상자, 100상자, 200상자 수확했습니다. 각 마을 사이의 거리는 일정하며, 배 한 상자를 바로 옆 이웃 마을로 옮기는 데 3분이 걸린다고 합니다. 세 마을에 있는 배 상자를 한 마을에 모두 모으려고 합니다. 시간이 가장 많이 걸리는 경우와 가장 적게 걸리는 경우의 시간의 차는 몇 시간입니까? (단, 상자를 동시에 옮기는 경우는 생각하지 않습니다.)

```
●────────●────────●────────●────────●
㉠        ㉡        ㉢        ㉣        ㉤
```

( )시간

최종 모의고사 2회

교재 뒤에 부록으로 있는 OMR 카드와 같이 활용하여 실제 HME 시험에 대비하세요.

1 모든 자연수의 약수가 되는 것은 어느 것입니까? ·················· (   )

① 1   ② 2

③ 3   ④ 5

⑤ 10

2 기약분수는 모두 몇 개입니까?

$$\frac{6}{8}, \quad \frac{15}{22}, \quad \frac{7}{14}, \quad \frac{3}{10}, \quad \frac{4}{16}$$

(   )개

3 8의 모든 약수의 합을 구하시오.

(   )

4 계산을 하시오.

$$100+(54-38)\times 5$$

(   )

5 두 수의 최대공약수를 구하는 과정입니다. ㉠에 알맞은 수를 구하시오.

$$\begin{array}{r} 2\,)\,\underline{30\quad 42} \\ ㉠\,)\,\underline{15\quad 21} \\ 5\quad 7 \end{array}$$

(   )

6 □ 안에 알맞은 수를 구하시오.

$$\frac{7}{8} - \frac{5}{12} = \frac{\square}{24}$$

( )

7 ○와 △ 사이의 대응 관계를 식으로 나타내려고 합니다. □ 안에 알맞은 수를 구하시오.

○	1	3	5	7	……
△	4	6	8	10	……

$$○ + \square = △$$

( )

8 두 분수의 공통분모가 될 수 있는 수 중에서 가장 작은 수를 구하시오.

$$\frac{4}{15} \qquad \frac{8}{9}$$

( )

9 □ 안에 알맞은 수를 구하시오.

$$\square - (25 + 17) = 16$$

( )

10 분모가 20인 진분수 중에서 기약분수는 모두 몇 개입니까?

( )개

11 ◎와 ♡ 사이의 대응 관계를 나타낸 표입니다. ◎가 18일 때 ♡는 얼마인지 구하시오.

◎	2	4	6	8	……
♡	8	16	24	32	……

(   )

12 □ 안에 들어갈 수 있는 자연수 중에서 가장 작은 수를 구하시오.

$$\frac{1}{5} + \frac{7}{15} < \frac{\square}{15}$$

(   )

13 배열 순서에 맞게 수 카드를 놓고, 바둑돌로 규칙적인 배열을 만들고 있습니다. 11째에 필요한 바둑돌은 몇 개인지 구하시오.

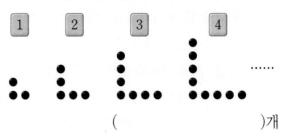

(   )개

14 그림과 같이 길이가 각각 $\frac{5}{6}$ m, $\frac{3}{4}$ m, $\frac{2}{3}$ m 인 색 테이프 3장을 $\frac{1}{8}$ m씩 겹치게 이어 붙였습니다. 이어 붙인 색 테이프 전체의 길이는 몇 m입니까?

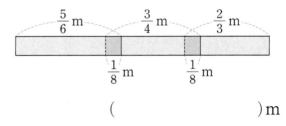

(   )m

15 외국 돈을 살 때 지불하는 외국 돈의 가격을 환율이라고 합니다. 예를 들어 미국 돈인 1달러당 환율이 1200원이면 미국 돈 1달러를 살 때 지불하는 가격이 1200원이라는 것입니다. 영주는 5000원짜리 지폐 2장, 1000원짜리 지폐 13장, 500원짜리 동전 3개, 100원짜리 동전 1개를 가지고 있습니다. 어느 날 싱가포르 돈 1달러당 환율이 820원이라고 할 때, 영주가 가지고 있는 돈을 모두 싱가포르 돈으로 바꾸면 몇 달러입니까?

환율

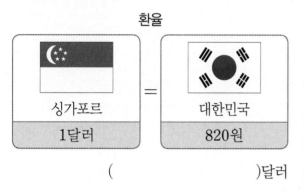

( )달러

16 은호는 가지고 있는 철사로 별 모양을 만드는 데 전체의 $\dfrac{3}{10}$ 을, 꽃 모양을 만드는 데 전체의 $\dfrac{8}{15}$ 을 사용하였더니 20 cm가 남았습니다. 은호가 처음에 가지고 있던 철사는 몇 cm입니까?

( ) cm

17 수 카드 2 , 5 , 8 을 한 번씩 사용하여 다음과 같이 식을 만들려고 합니다. 계산 결과가 가장 클 때와 가장 작을 때의 차는 얼마인지 구하시오.

$$80 \div (\square \times \square) + \square$$

( )

18 ▍조건▍을 만족하는 분수는 모두 몇 개입니까?

▍조건▍
- 0.625보다 크고 $\dfrac{5}{6}$ 보다 작습니다.
- 분모가 48인 기약분수입니다.

( )개

19 □ 안에는 같은 수가 들어갑니다. □ 안에 알맞은 수를 구하시오.

$$\frac{7+\square}{22+\square}=\frac{6}{11}$$

(   )

20 어느 고속버스 터미널에서 대전행은 30분, 부산행은 40분마다 출발한다고 합니다. 두 버스가 오전 6시에 동시에 출발하였다면 그 이후부터 오후 3시까지 동시에 출발하는 횟수는 모두 몇 번입니까?

(   )번

21 어떤 수를 8로 나누면 4가 남고, 12로 나누면 8이 남습니다. 어떤 수 중에서 두 자리 수는 모두 몇 개입니까?

(   )개

22 ▲와 ★은 자연수이고, ▲×★=45입니다. 다음을 계산한 결과가 가장 클 때와 가장 작을 때의 차를 구하시오.

$$6\times▲+3\times★$$

(   )

23 민재, 현우, 지원이가 초콜릿을 나누어 가졌습니다. 민재는 전체의 $\frac{1}{5}$보다 4개 더 많게, 현우는 민재보다 3개 더 많게, 지원이는 전체의 $\frac{1}{2}$보다 2개 더 적게 가졌더니 초콜릿이 1개 남았습니다. 처음에 있던 초콜릿은 몇 개입니까?

( )개

24 분모와 분자의 합이 82인 분수가 있습니다. 이 분수의 분모에서 8을 빼고 분자에 2를 더한 다음 약분하여 기약분수로 나타내었더니 $\frac{9}{10}$가 되었습니다. 처음 분수의 분자를 구하시오.

( )

25 다음 네 자리 수는 3의 배수이면서 2의 배수가 아니고 5의 배수도 아닙니다. 다음 네 자리 수가 가장 큰 수가 되는 경우의 ㉠을 구하시오.

27㉠㉡

( )

최종 모의고사 3회

점수

교재 뒤에 부록으로 있는 OMR 카드와 같이 활용하여 실제 HME 시험에 대비하세요.

1 20의 약수가 아닌 수는 어느 것입니까?

······································· ( )

① 1 ② 4

③ 10 ④ 12

⑤ 20

2 6의 배수를 찾아 쓰시오.

106, 182, 234

( )

3 계산을 하시오.

$43 - 16 \times 9 \div 12$

( )

4 누나와 승호의 나이 사이의 대응 관계를 나타낸 표입니다. 표를 보고 □ 안에 알맞은 수를 구하시오.

| 누나의 나이(살) | 12 | 13 | 14 | 15 | ······ |
| 승호의 나이(살) | 10 | 11 | 12 | 13 | ······ |

⇨ 누나의 나이는 승호의 나이보다 □살 더 많습니다.

( )

5 $\frac{18}{24}$과 크기가 같은 분수는 모두 몇 개입니까?

$\frac{3}{4}$, $\frac{3}{8}$, $\frac{9}{12}$, $\frac{14}{20}$, $\frac{36}{48}$

( )개

최종
모의
고사

6 ♡와 ☆ 사이의 대응 관계를 나타낸 표입니다. 표를 보고 ♡와 ☆ 사이의 대응 관계를 식으로 바르게 나타낸 것은 어느 것입니까?( )

♡	2	4	6	8	……
☆	14	28	42	56	……

① ♡÷7=☆ ② ♡+12=☆

③ ☆×7=♡ ④ ♡×7=☆

⑤ ☆-12=♡

7 $\frac{18}{25}$과 $\frac{7}{30}$을 통분하려고 합니다. 공통분모가 될 수 있는 가장 작은 수를 구하시오.

( )

8 $1\frac{5}{6}$와 $1\frac{4}{15}$의 합은 $\frac{1}{10}$이 몇 개 모인 수입니까?

( )개

9 약수의 개수가 <u>다른</u> 수를 찾아 쓰시오.

12, 30, 42, 56

( )

10 두 분수를 분모의 최소공배수를 공통분모로 하여 통분하였습니다. 통분한 두 분수의 분자의 합을 구하시오.

$\frac{8}{9}$, $\frac{4}{5}$

( )

11 □ 안에 알맞은 기약분수의 분자를 구하시오.

$$\square + \frac{5}{8} = 1\frac{1}{12}$$

(   )

13 □ 안에 들어갈 수 있는 자연수는 모두 몇 개입니까?

$$\frac{\square}{8} < 0.65$$

(   )개

12 무게가 같은 고구마 3개의 무게는 810 g이고 무게가 같은 당근 2개의 무게는 780 g입니다. 고구마 한 개와 당근 한 개의 무게의 합은 몇 g 입니까?

(   )g

14 같은 날 서울과 파리의 시각 사이의 대응 관계를 나타낸 표입니다. 서울이 오후 9시일 때 파리의 시각은 오후 몇 시인지 구하시오.

서울의 시각	오전 10시	오전 11시	낮 12시	오후 1시	......
파리의 시각	오전 2시	오전 3시	오전 4시	오전 5시	......

오후 (   )시

15 $\frac{4}{7}$의 분모에 49를 더한 분수가 $\frac{4}{7}$와 크기가 같아지려면 분자에 얼마를 더해야 합니까?

(   )

16 우리나라는 2007년부터 길이, 무게 등의 단위를 국제적 기준에 맞는 국제단위계(SI)로 통일하여 나타내기 시작했습니다. 기존에 사용하던 무게 단위인 근과 관을 1근은 $\frac{3}{5}$ kg, 1관은 $3\frac{3}{4}$ kg으로 바꾸어 나타낼 수 있습니다. 쇠고기 3근과 감자 2관의 무게의 합을 국제단위계로 나타내면 ㉠$\frac{3}{㉡}$ kg이라고 할 때 ㉠+㉡을 구하시오.

(   )

17 다음 다섯 자리 수는 3의 배수입니다. □ 안에 들어갈 수 있는 모든 숫자의 합을 구하시오.

$$\boxed{42\ \square\ 10}$$

(   )

18 빨간 구슬 156개와 파란 구슬 48개를 최대한 많은 친구들에게 남김없이 똑같이 나누어 주려고 합니다. 최대 몇 명의 친구에게 나누어 줄 수 있습니까?

(   )명

19 어떤 수를 6으로 나누면 3이 남고, 15로 나누면 12가 남는다고 합니다. 어떤 수 중에서 200에 가장 가까운 수는 얼마입니까?

(   )

20 두 톱니바퀴 ㉮와 ㉯가 서로 맞물려 돌아가고 있습니다. ㉮ 톱니바퀴의 톱니 수는 96개이고, ㉯ 톱니바퀴의 톱니 수는 72개입니다. 처음에 맞물렸던 톱니가 처음으로 다시 같은 지점에서 만나려면 ㉯ 톱니바퀴는 몇 바퀴 돌아야 합니까?

(   )바퀴

21 어느 공장에서 일주일에 2일씩 쉬고 5주일 동안 장난감을 425개 만들었습니다. 이 공장에서 쉬는 날 없이 6주일 동안 장난감을 만든다면 모두 몇 개를 만들 수 있습니까? (단, 하루에 만드는 장난감의 수는 같습니다.)

(   )개

22 다음 식을 만족하는 ㉠과 ㉡에 알맞은 자연수의 합을 구하시오.

(단, ㉠<21, ㉡<21입니다.)

$$\frac{9}{20} = \frac{1}{㉠} - \frac{1}{㉡}$$

(   )

23 다음을 보고 ㉠과 ㉡에 알맞은 수의 곱을 구하시오.

$$\frac{㉡}{㉠+5}=\frac{1}{4}, \quad \frac{㉡}{㉠+13}=\frac{1}{6}$$

( )

25 □ 안에 2, 3, 4, 5, 9를 한 번씩 써넣어 계산한 값이 자연수일 때 가장 큰 값을 구하시오. (단, □□는 두 자리 수를, □는 한 자리 수를 나타냅니다.)

$$□□-□□÷□$$

( )

24 그림과 같이 도형의 꼭짓점에 수가 놓여 있습니다. 각 도형의 꼭짓점에 놓여 있는 수들의 합은 모두 같습니다. ㉠과 ㉡에 알맞은 수의 차를 $\dfrac{▲}{36}$ 라고 할 때 ▲를 구하시오.

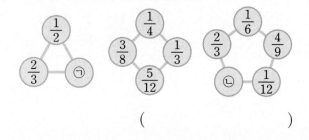

( )

교재 뒤에 부록으로 있는 OMR 카드와 같이 활용하여 실제 HME 시험에 대비하세요.

1 가장 먼저 계산해야 하는 부분은 어느 것입니까? ································· (   )

$$34-(5+2\times10)\div5\times2$$

① $34-5$ ② $5+2$

③ 2×10 ④ $10\div5$

⑤ 5×2

2 8의 배수가 <u>아닌</u> 수를 찾아 쓰시오.

16, 40, 56, 21, 32

(   )

3 분모의 최소공배수를 공통분모로 하여 두 분수를 통분하였습니다. ㉠에 알맞은 수를 구하시오.

$$\left(\frac{3}{8},\ \frac{9}{14}\right)\Rightarrow\left(\frac{21}{56},\ \frac{㉠}{56}\right)$$

(   )

4 다음 분수를 한 번만 약분하여 기약분수로 나타내려고 합니다. 분모와 분자를 어떤 수로 나누어야 합니까?

$$\frac{24}{36}$$

(   )

5 두 수가 서로 약수와 배수의 관계인 것은 어느 것입니까? ······························· (   )

① $(4, 15)$ ② $(7, 18)$

③ $(20, 6)$ ④ $(48, 6)$

⑤ $(25, 9)$

6 두 수 가와 나의 최대공약수를 구하시오.

$$가=2\times2\times2\times2$$
$$나=2\times2\times2\times3$$

(   )

7 계산을 하시오.

$$45-91\div(4+3)$$

(   )

8 어떤 두 수의 최대공약수는 12입니다. 이 두 수의 공약수는 모두 몇 개입니까?

(   )개

9 ㉠에 알맞은 수를 구하시오.

$$\frac{9}{10}-\frac{1}{4}-\frac{3}{5}=\frac{㉠}{20}$$

(   )

10 수안이네 집에서 학교를 거쳐 도서관까지의 거리는 몇 m입니까?

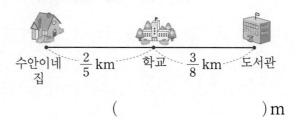

(   )m

11 두 수의 최소공배수가 더 큰 것을 찾아 그 최소공배수를 쓰시오.

> ㉠ (20, 30)   ㉡ (20, 24)

(   )

12 $\frac{7}{15}$과 크기가 같은 분수 중에서 분모가 30보다 크고 90보다 작은 분수는 모두 몇 개입니까?

(   )개

13 가로가 12 cm, 세로가 18 cm인 직사각형 모양의 카드를 늘어놓아 가장 작은 정사각형을 만들려고 합니다. 정사각형의 한 변의 길이는 몇 cm로 해야 합니까?

(   ) cm

14 다음 중 $\frac{1}{2}$보다 작은 분수는 모두 몇 개입니까?

> $\frac{3}{7}$, $\frac{7}{9}$, $\frac{3}{8}$, $\frac{5}{13}$, $\frac{4}{5}$

(   )개

15 □와 △ 사이의 대응 관계를 나타낸 표입니다. ㉠과 ㉡에 알맞은 수의 합을 구하시오.

□	3	6	8	㉠	13
△	6	9	11	12	㉡

(   )

16 □ 안에 들어갈 수 있는 자연수는 모두 몇 개 입니까?

$$2\frac{2}{5}+1\frac{5}{7}<\square<8$$

(   )개

17 다음은 한별이가 말한 수와 은우가 규칙에 따라 답한 수를 나타낸 표입니다. 한별이가 말한 수가 11일 때 은우가 답한 수를 구하시오.

한별이가 말한 수	3	5	7	……
은우가 답한 수	9	25	49	……

(   )

18 칠교놀이는 7개의 조각으로 이루어진 도형을 움직여 모양을 만드는 놀이입니다. 칠교판 조각 중 3조각을 사용하여 오른쪽 사각형을 만들었습니다. 오른쪽 사각형을 만드는 데 사용한 조각에 적힌 수들의 합을 기약분수로 나타내면 $\dfrac{㉡}{㉠}$이라 할 때 ㉠+㉡을 구하시오.

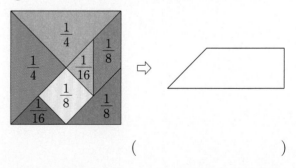

(   )

19 어떤 수를 구하시오.

> 어떤 수에서 3과 5의 곱을 뺀 후, 21을 7로 나눈 몫을 더하면 32입니다.

(   )

20 다음 식의 계산 결과가 0이 <u>아닌</u> 한 자리 수가 되게 하려고 합니다. □ 안에 들어갈 수 있는 자연수는 모두 몇 개입니까?

$$9 \times (20-8) \div 6 - 4 \times \square$$

(   )개

21 일정한 규칙으로 구슬을 늘어놓았습니다. 20째에는 구슬을 모두 몇 개 놓아야 합니까?

첫째   둘째   셋째

......

(   )개

22 단위분수의 분모가 연속하는 두 자연수의 곱일 때 **보기**와 같이 나타낼 수 있습니다. 이를 이용하여 다음을 기약분수로 나타낸 값이 $\dfrac{\bigcirc}{\bigcirc}$ 일 때, ㉠과 ㉡에 알맞은 수의 차를 구하시오.

> **보기**
>
> $$\frac{1}{2} = \frac{1}{1 \times 2} = \frac{1}{1} - \frac{1}{2}$$

$$\frac{1}{6} + \frac{1}{12} + \frac{1}{20} + \frac{1}{30} + \frac{1}{42}$$

(   )

23 지연이네 제과점에서 3개에 1500원 하는 단팥빵을 한 봉지에 4개씩 담아 2600원에 팔았습니다. 지연이네 제과점에서 단팥빵을 팔아 얻은 이익금이 90000원이라면 단팥빵은 모두 몇 봉지 팔았습니까?

( )봉지

24 다음과 같이 규칙에 따라 수를 늘어놓은 것입니다. 15번째 수와 30번째 수의 차를 기약분수로 나타내면 $㉠\dfrac{㉢}{㉡}$일 때 $㉠+㉡-㉢$을 구하시오.

$$1\dfrac{1}{2},\ 2\dfrac{1}{3},\ 2\dfrac{2}{3},\ 3\dfrac{1}{4},\ 3\dfrac{2}{4},\ 3\dfrac{3}{4},\ 4\dfrac{1}{5}\ \cdots\cdots$$

( )

25 다음과 같이 앞면에 1부터 24까지의 수가 적힌 카드를 수가 보이도록 놓고 카드 뒤집기를 반복했습니다. 1의 배수가 적힌 카드를 뒤집은 다음 2의 배수가 적힌 카드를 뒤집고, 3의 배수가 적힌 카드를 뒤집었습니다. 이와 같은 방법으로 24의 배수가 적힌 카드까지 뒤집었습니다. 이때 마지막에 앞면이 보이는 카드의 수와 뒷면이 보이는 카드의 수의 차는 몇 장입니까?

1	2	3	4	5	6	7	8
9	10	11	12	13	14	15	16
17	18	19	20	21	22	23	24

( )장

최종 모의고사 1회

학 교 명:

성   명:

현재 학년:

반:

OMR 카드 작성시 유의사항

1. 학교명, 성명, 반, 수험번호, 생년월일, 성별 기재
2. 반드시 "원 같이 해야 합니다.
   반드시 "원 안에 ● 같이 마킹 해야 합니다.
3. OMR카드에 답안 이외에 낙서 등 손상이 있는 경우 즉시
   감독관에게 문의하시기 바랍니다.
4. 답을 작성하고 마킹을 하지 않는 경우 오답으로 간주합니다.
5. 답안은 작성한 후 반드시 감독관에게 제출해야 합니다.
   제출하지 않아 발생하는 사고에 대해서는 책임지지 않습니다.

※ OMR카드를 잘못 작성하여 발생한 성적결과는 책임지지 않습니다.

※ OMR 카드 작성 예시 ※

(맞는 경우)
1) 주관식 또는 객관식 답이 3인 경우

(틀린 경우)
1) 답이 120일 때, 마킹을 하지 않은 경우
2) 답이 120일 때, 마킹을 일부만 한 경우
3) 마킹을 일부만 한 경우

※ 실제 HME 해법수학 학력평가의 OMR 카드와 같습니다.

최종 모의고사 ❷회

학 교 명:

성 명:

현재 학년:

반:

(1) 수험번호

(2)

※ (1)번란에는 이래와 같이 숫자를 쓰고, (2)번란에는
해당란에 까만게 표기해야 합니다.

감독관
확인란

(1) 생년월일

(2)

(예시) 2009년 3월 2일생인 경우, (1)번란
    년월일 칸 빈칸에 09 03 02를 쓰고,
    (2)란에는 까만게 표기해야 합니다.

OMR 카드 작성시 유의사항

1. 학교명, 성명, 학년, 반 수험번호, 생년월일, 성별 기재
2. 반드시 펜 안에 "잉크 길이 마킹 해야 합니다.
3. OMR카드에 답안 이외에 낙서 등 손상이 있을 경우 즉시
   감독관에게 문의하시기 바랍니다.
4. 답을 작성하고 마킹을 하지 않은 경우 오답으로 간주합니다.
5. 답안 작성 후 반드시 감독관에게 제출해야 합니다.
   제출하지 않아 발생하는 사고에 대해서는 책임지지 않습니다.

※ OMR카드를 잘못 작성하여 발생한 성적결과는 책임지지 않습니다.

※ OMR 카드 작성 예시 ※

1) 주관식 또는 객관식
   답이 3인 경우
   (맞는 경우)

2) 마킹을 하지 않은 경우
   답이 120일 때,
   (틀린 경우)

3) 마킹을 일부만 한 경우
   답이 120일 때,
   (틀린 경우)

최종 모의고사 **3**회

학 교 명:
성   명: 반:
현재 학년:

OMR 카드 작성시 유의사항

1. 학교명, 성명, 학년, 반 수험번호, 생년월일, 성별 기재
2. 반드시 원 안에 "●"와 같이 마킹 해야 합니다.
3. OMR카드에 답인 이외에 낙서 등 손상이 있는 경우 즉시 감독관에게 문의하시기 바랍니다.
4. 답을 작성하고 마킹을 하지 않는 경우 오답으로 간주합니다.
5. 답인은 작성 후 반드시 감독관에게 제출해야 합니다.
   제출하지 않아 발생하는 사고에 대해서는 책임지지 않습니다.

※ OMR카드를 잘못 작성하여 발생한 성적결과는 책임지지 않습니다.

※ OMR 카드 작성 예시 ※

(맞는 경우)
1) 주관식 또는 객관식 답이 1개인 경우

(틀린 경우)
1) 답이 120일 때,
2) 마킹을 하지 않은 경우
3) 마킹을 일부만 한 경우

1번 1번 1번

※ 실제 HME 해법수학 학력평가의 OMR 카드와 같습니다.

(문항 1번 ~ 25번, 각 0~9)

※ (1)번 란에는 아래번호 이러버번이아 숫자로 쓰고 (2)번란에는
해당눈~이 까끄올이 까끄올게 표기해야 합니다.

감독확인 관인

성별   남 ○   여 ○

(예시) 2009년 3월 2일생인 경우, (1)번란
년 월 일 일 반간에 09 03 02를 쓰고,
(2)번에는 까멀게 표기해야 합니다.

최종 모의고사 4회

학교 명:

성 명:

현재 학년: 반:

(1) 수 험 번 호

(2) 수 험 번 호

(1) 새 년 월 일 성 별

(2) 새 년 월 일 성 별

(예시) 2009년 3월 29일생인 경우 (1)번란
년 월 일 일 란 빈자리에 09 03 02를 쓰고,
(2)란에는 까맣게 표기 해야 합니다.

감독확인란

OMR 카드 작성시 유의사항

1. 학교명, 성명, 학년, 반 수험번호, 생년월일, 성별 기재
2. 반드시 원 안에 "●"와 같이 마킹 해야 합니다.
3. OMR카드에 답안 이외에 낙서 등 손상이 있는 경우 특히
   감독관에게 문의하시기 바랍니다.
4. 답을 작성하고 마킹을 하지 않은 경우 오답으로 간주합니다.
5. 답안 작성 후 반드시 감독관에게 제출해야 합니다.
   제출하지 않아 발생하는 사고에 대해서는 책임지지 않습니다.

※ OMR카드를 잘못 작성하여 발생한 성적결과는 책임지지 않습니다.

※ 맞는 경우
1) 주관식 또는 객관식
   답이 3일 경우

※ OMR 카드 작성 예시 ※
(틀린 경우)
1) 답이 120일 때, 마킹을 하지 않은 경우
2) 마킹을 일부만 한 경우

※ 실제 HME 해법수학 학력평가의 OMR 카드와 같습니다.

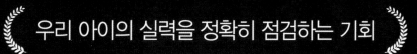

우리 아이의 실력을 정확히 점검하는 기회

40년의 역사
전국 초·중학생 213만 명의 선택

HME 학력평가
해법수학 · 해법국어

응시 학년
수학 | 초등 1학년 ~ 중학 3학년
국어 | 초등 1학년 ~ 초등 6학년

응시 횟수
수학 | 연 2회 (6월 / 11월)
국어 | 연 1회 (11월)

주최 **천재교육** | 주관 **한국학력평가 인증연구소** | 후원 **서울교육대학교**

*응시 날짜는 변동될 수 있으며, 더 자세한 내용은 HME 홈페이지에서 확인 바랍니다.

HME 수학 학력평가

상반기 대비

정답 및 풀이

초 **5** 학년

천재교육

상반기 대비

HME
수학 학력평가

정답 및 풀이

1단원 기출 유형 정답률 75% 이상

5 ~ 9쪽

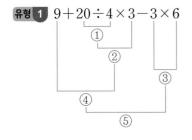

유형 **1** ②

1 ③

2 $54 \div (6+3) \times 2$

유형 **2** 22

3 43　　　　**4** 500

유형 **3** 8

5 10　　　　**6** 3

유형 **4** 69

7 81　　　　**8** 3

유형 **5** ②

9 ④　　　　**10** 2

유형 **6** 45

11 95　　　　**12** 2

유형 **7** 2

13 4　　　　**14** 3

유형 **8** 22

15 37　　　　**16** 13

유형 **9** 43

17 132　　　　**18** 6

유형 **10** 29

19 14　　　　**20** 25

유형 **1** $9+20 \div 4 \times 3 - 3 \times 6$

1 $60 \div (10 - 4 \times 2) + 30 - 15$

2 ( )가 있는 식에서는 ( ) 안을 먼저 계산합니다.

유형 **2** (안경을 쓰지 않은 학생 수)
$=17+13-8$
$=30-8=22$(명)

3 (남은 책의 수)$=35+27-19$
$=62-19=43$(권)

4 $4200-(700+3000)$
$=4200-3700=500$(원)

유형 **3** (나누어 줄 수 있는 사람 수)
$=12 \times 4 \div 6$
$=48 \div 6 = 8$(명)

5 (나누어 줄 수 있는 사람 수)
$=15 \times 6 \div 9$
$=90 \div 9 = 10$(명)

6 (걸리는 시간)$=54 \div (3 \times 6)$
$=54 \div 18 = 3$(시간)

유형 **4** $81-(31+13) \times 3 \div 11 = 81-44 \times 3 \div 11$
$=81-132 \div 11$
$=81-12$
$=69$

참고

덧셈, 뺄셈, 곱셈, 나눗셈이 섞여 있고 ( )가 있는
식의 계산 순서
( ) 안 ⇨ ×, ÷ ⇨ +, − 순으로 계산합니다.

7 $27+9 \times (48-12) \div 6 = 27+9 \times 36 \div 6$
$=27+324 \div 6$
$=27+54$
$=81$

8
- $32-6\times4+7=32-24+7$
$=8+7=15$
- $40\div(5+3)-2=40\div8-2$
$=5-2=3$

유형 5
① $15-(2+7)=15-9=6,$
$15-2+7=13+7=20$
② $8+(9-3)=8+6=⑭,$
$8+9-3=17-3=⑭$
③ $16\div(4\times2)=16\div8=2,$
$16\div4\times2=4\times2=8$
④ $25-(17-5)=25-12=13,$
$25-17-5=8-5=3$
⑤ $(2+5)\times4=7\times4=28,$
$2+5\times4=2+20=22$

9
① $20-(9-6)=20-3=17,$
$20-9-6=11-6=5$
② $27\div(3\times3)=27\div9=3,$
$27\div3\times3=9\times3=27$
③ $50-(16+3)=50-19=31,$
$50-16+3=34+3=37$
④ $3\times(24\div8)=3\times3=⑨,$
$3\times24\div8=72\div8=⑨$
⑤ $(15-3)\times4=12\times4=48,$
$15-3\times4=15-12=3$

10
㉠ $2\times(8-3)=2\times5=10,$
$2\times8-3=16-3=13$
㉡ $8+(17-6)=8+11=⑲,$
$8+17-6=25-6=⑲$
㉢ $(63-45)\div9=18\div9=2,$
$63-45\div9=63-5=58$
㉣ $11\times(9\div3)=11\times3=㉝,$
$11\times9\div3=99\div3=㉝$
⇨ ( )가 없어도 계산 결과가 같은 식은 ㉡, ㉣로
모두 2개입니다.

유형 6
- $24\div2\times4=12\times4=48$
- $24\div(2\times4)=24\div8=3$
⇨ $48-3=45$

11
- $14\times5-3=70-3=67$
- $14\times(5-3)=14\times2=28$
⇨ $67+28=95$

12
- $15+30\div6-3=15+5-3$
$=20-3=17$
- $(15+30)\div(6-3)=45\div3=15$
⇨ $17-15=2$

유형 7 $9+60\div5-3=9+12-3$
$=21-3=18$
⇨ $18<\square<21$에서 $\square$ 안에 들어갈 수 있는 자연
수는 19, 20이므로 모두 2개입니다.

13 $65-(6+7)\times4=65-13\times4$
$=65-52=13$
⇨ $8<\square<13$에서 $\square$ 안에 들어갈 수 있는 자연수
는 9, 10, 11, 12이므로 모두 4개입니다.

14 $36-7\times3=36-21=15$
$40-(8+13)=40-21=19$
⇨ $15<\square<19$에서 $\square$ 안에 들어갈 수 있는 자연
수는 16, 17, 18이므로 모두 3개입니다.

유형 8 바둑돌을 차례로 세어 보면
1개, 4개, 7개, 10개……로 3개씩 늘어납니다.
⇨ 여덟째에는 바둑돌을 $1+3\times7=22$(개) 놓아야
합니다.

15
푸는 순서
❶ 규칙 찾기
❷ 10째에 놓아야 하는 바둑돌의 개수 구하기

❶ 바둑돌을 차례로 세어 보면
1개, 5개, 9개, 13개……로 4개씩 늘어납니다.
❷ 10째에는 바둑돌을 $1+4\times9=37$(개) 놓아야 합
니다.

16 구슬을 차례로 세어 보면
4개, 7개, 10개, 13개……로 3개씩 늘어나고 있습니다.
구슬이 40개 놓일 때를 □째라 하면
$$4+3\times(\square-1)=40$$
$$3\times(\square-1)=36$$
$$\square-1=12$$
$$\square=13$$
➡ 구슬이 40개 놓일 때는 13째입니다.

유형 9 $12\textcircled{}5=12\times5-(12+5)$
$$=60-17=43$$

17 전략 가이드
가 대신에 14를, 나 대신에 8을 넣어 식을 세웁니다.

$14\bigstar8=(14+8)\times(14-8)$
$$=22\times6=132$$

18 $20\blacktriangle4=20\div4+4$
$$=5+4=9$$
➡ $(20\blacktriangle4)\blacktriangle3=9\blacktriangle3$
$$=9\div3+3$$
$$=3+3=6$$

유형 10 $125-(\square+36)\div5=112$
$$(\square+36)\div5=13$$
$$\square+36=65$$
$$\square=29$$

19 전략 가이드
계산 순서를 거꾸로 생각하여 □ 안에 알맞은 수를 구합니다.

$16\times(\square-8)\div2=48$
$$16\times(\square-8)=96$$
$$\square-8=6$$
$$\square=14$$

20 어떤 수를 □라 하면
$$\square-2\times5+28\div4=22$$
$$\square-10+7=22$$
$$\square-10=15$$
$$\square=25$$
➡ 어떤 수는 25입니다.

1단원 기출 유형 정답률 55% 이상

10~11쪽

유형 11 28		21 110	
유형 12 3			
22 3		23 5	
유형 13 700			
24 900		25 600	
유형 14 12			
26 1		27 49, 24	

유형 11 추의 무게가 100 g씩 늘어날 때마다 용수철의 길이는 $12-8=4\,(\text{cm})$씩 늘어납니다.
➡ (500 g짜리 추를 매달았을 때 용수철의 길이)
$$=8+(12-8)\times5$$
$$=8+4\times5$$
$$=8+20=28\,(\text{cm})$$

21 구슬 1개의 무게는 $(290-260)\,\text{g}$입니다.
➡ (빈 상자의 무게)$=260-(290-260)\times5$
$$=260-30\times5$$
$$=260-150=110\,(\text{g})$$

유형 12 $20+4\times3\div2-6=20+12\div2-6$
$$=20+6-6$$
$$=26-6=20$$
➡ $20>5\times\square$에서 □ 안에 들어갈 수 있는 자연수는 1, 2, 3이고 이 중 가장 큰 수는 3입니다.

22 푸는 순서
❶ 왼쪽 식 계산하기
❷ □ 안에 들어갈 수 있는 자연수 중에서 가장 큰 수 구하기

❶ $(31-6)\div5\times2+12=25\div5\times2+12$
$$=5\times2+12$$
$$=10+12=22$$
❷ $22>7\times\square$에서 □ 안에 들어갈 수 있는 자연수는 1, 2, 3이고 이 중 가장 큰 수는 3입니다.

23 $37-(12+3)\div3\times2=37-15\div3\times2$
$\qquad\qquad\qquad\qquad\quad=37-5\times2$
$\qquad\qquad\qquad\qquad\quad=37-10=27$
⇨ $27>15+2\times\square$에서 □ 안에 들어갈 수 있는 자
연수는 1, 2, 3, 4, 5로 모두 5개입니다.

유형 13 (남은 돈)
$\quad$=(처음에 가지고 있던 돈)−(빵 1개의 값)
$\qquad$−(과자 3봉지의 값)
$\quad=10000-6000\div5-2700\times3$
$\quad=10000-1200-8100$
$\quad=700$(원)

24 (남은 돈)
$\quad$=(처음에 가지고 있던 돈)−(공책 1권의 값)
$\qquad$−(색연필 18자루의 값)
$\quad=15000-9000\div6-700\times18$
$\quad=15000-1500-12600$
$\quad=900$(원)

25 (사탕 한 개의 값)
$\quad=(5000-1000\times2-1200)\div3$
$\quad=(5000-2000-1200)\div3$
$\quad=1800\div3$
$\quad=600$(원)

유형 14 $30\div(1\times5)+6=30\div5+6$
$\qquad\qquad\qquad\qquad\quad=6+6=12$

26 계산 결과가 작으려면 곱하는 수는 작고 나누는 수
는 커야 합니다.
$7\times5\div35=35\div35=1$

27 • 계산 결과가 가장 클 때: 곱해지는 수가 커야 합니다.
$\quad\underline{(5+8)}\times4-3=13\times4-3$
$\qquad\qquad\qquad\quad=52-3=49$
• 계산 결과가 가장 작을 때: 곱해지는 수가 작아야
합니다.
$\quad\underline{(3+5)}\times4-8=8\times4-8$
$\qquad\qquad\qquad\quad=32-8=24$

1단원 종합

12~14쪽	
1 ⑤	**2** 24
3 10	**4** 23
5 60	**6** ㉢
7 4	**8** 30
9 44	**10** 7
11 600	**12** 250

1
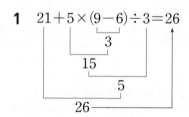

2 (체육복을 입지 않은 학생 수)
$\quad=16+19-11$
$\quad=35-11=24$(명)

3 (한 상자에 든 과자의 수)
$\quad=20\times2\div4$
$\quad=40\div4=10$(개)

4 • $13+21-16\times2=13+21-32$
$\qquad\qquad\qquad\qquad\quad=34-32=2$
• $13+(21-16)\times2=13+5\times2$
$\qquad\qquad\qquad\qquad\quad=13+10=23$
⇨ $2<23$

5 • $32-2+4=30+4=34$
• $32-(2+4)=32-6=26$
⇨ $34+26=60$

6 ㉠ $13+(33-21)=13+12=25$,
$\quad13+33-21=46-21=25$
㉡ $6\times(12\div3)=6\times4=24$,
$\quad6\times12\div3=72\div3=24$
㉢ $46-(17+5)=46-22=24$,
$\quad46-17+5=29+5=34$

7 $9 \times 7 - (3+15) \div 2 = 9 \times 7 - 18 \div 2$
$= 63 - 9 = 54$

⇨ 49<□<54에서 □ 안에 들어갈 수 있는 자연수는 50, 51, 52, 53이므로 모두 4개입니다.

> **주의**
> ●<□<▲에서 □ 안에 들어갈 수 있는 자연수에 ●와 ▲는 포함되지 않습니다.

8 $10◆7 = 10 \times (10-7)$
$= 10 \times 3 = 30$

9 첫째　둘째　셋째

타일을 차례로 세어 보면
8개, 12개, 16개……로 4개씩 늘어납니다.
⇨ 10째에는 타일이 $8 + 4 \times 9 = 8 + 36 = 44$(개) 필요합니다.

10 $72 \div (4+8) \times 4 = 72 \div 12 \times 4$
$= 6 \times 4 = 24$

⇨ 24>3×□에서 □ 안에 들어갈 수 있는 자연수는 1, 2, 3, 4, 5, 6, 7로 모두 7개입니다.

11 (남은 돈)
=(처음에 가지고 있던 돈)-(연필 5자루의 값)
　-(스케치북 2권의 값)
$= 7000 - 4800 \div 12 \times 5 - 2200 \times 2$
$= 7000 - 2000 - 4400$
$= 600$(원)

12 비누 한 장의 무게는 $(2250-1750)$ g입니다.
⇨ (빈 상자의 무게)
$= 1750 - (2250-1750) \times 3$
$= 1750 - 500 \times 3$
$= 1750 - 1500 = 250$ (g)

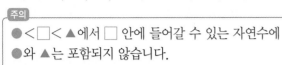

2단원 기출 유형　정답률 75%이상

15~21쪽

유형 **1** ④	
1 ③	**2** 8
유형 **2** 96	
3 85	**4** 196
유형 **3** 20	
5 15	**6** 21
유형 **4** ③	
7 ⑤	**8** 2
유형 **5** 6	
9 8	**10** 14
유형 **6** 6	
11 8	**12** 24
유형 **7** 210	
13 180	**14** 3
유형 **8** 72	
15 48	**16** 16
유형 **9** 60	
17 48	**18** 5
유형 **10** 12	**19** 10
유형 **11** 84	
20 135, 180	**21** 60
유형 **12** 2	
22 3	**23** 2
유형 **13** 12	
24 40	**25** 9, 7
유형 **14** 56	
26 21	**27** 99

유형 **1** 56의 약수: 1, 2, 4, 7, 8, 14, 28, 56
⇨ 56의 약수가 아닌 수는 ④ 9입니다.

> **참고**
> 약수: 어떤 수를 나누어떨어지게 하는 수

1 36의 약수: 1, 2, 3, 4, 6, 9, 12, 18, 36
⇨ 36의 약수가 아닌 수는 ③ 15입니다.

2 24의 약수: 1, 2, 3, 4, 6, 8, 12, 24
⇨ 24의 약수는 모두 8개입니다.

유형 2 12의 배수: 12, 24, 36, 48, 60, 72, 84, 96, 108……

⇨ 12의 배수 중에서 가장 큰 두 자리 수는 96입니다.

> **참고**
> 배수: 어떤 수를 1배, 2배, 3배…… 한 수

3 17의 배수: 17, 34, 51, 68, 85, 102……

⇨ 17의 배수 중에서 가장 큰 두 자리 수는 85입니다.

4 $14 \times 14 = 196$, $14 \times 15 = 210$에서 200에 가장 가까운 수는 196입니다.

유형 3 20의 약수: 1, 2, 4, 5, 10, 20 → 6개

25의 약수: 1, 5, 25 → 3개

39의 약수: 1, 3, 13, 39 → 4개

⇨ 약수가 가장 많은 수는 20입니다.

> **주의**
> 각 수의 약수를 빠뜨리지 않고 모두 찾아봅니다.

5 9의 약수: 1, 3, 9 → 3개

15의 약수: 1, 3, 5, 15 → 4개

17의 약수: 1, 17 → 2개

⇨ 약수가 가장 많은 수는 15입니다.

6 11의 약수: 1, 11 → 2개

21의 약수: 1, 3, 7, 21 → 4개

19의 약수: 1, 19 → 2개

23의 약수: 1, 23 → 2개

⇨ 약수의 개수가 나머지 셋과 다른 수는 21입니다.

유형 4 ① $15 \div 2 = 7 \cdots 1$ ② $21 \div 4 = 5 \cdots 1$

③ $36 \div 9 = 4$ ④ $30 \div 8 = 3 \cdots 6$

⑤ $25 \div 10 = 2 \cdots 5$

⇨ 두 수가 약수와 배수의 관계인 것은 ③입니다.

7
> **전략 가이드**
> 큰 수가 작은 수로 나누어떨어지면 두 수는 약수와 배수의 관계입니다.

① $15 \div 7 = 2 \cdots 1$ ② $31 \div 3 = 10 \cdots 1$

③ $50 \div 8 = 6 \cdots 2$ ④ $24 \div 5 = 4 \cdots 4$

⑤ $48 \div 6 = 8$

⇨ 두 수가 약수와 배수의 관계인 것은 ⑤입니다.

8 ㉠ $40 \div 8 = 5$ ㉡ $26 \div 9 = 2 \cdots 8$

㉢ $42 \div 4 = 10 \cdots 2$ ㉣ $33 \div 11 = 3$

⇨ 두 수가 약수와 배수의 관계인 것은 ㉠, ㉣로 모두 2개입니다.

유형 5

$$2\,)\underline{30 \quad 42}$$
$$3\,)\underline{15 \quad 21}$$
$$5 \quad\;\; 7$$

30과 42의 최대공약수: $2 \times 3 = 6$

9

$$2\,)\underline{16 \quad 24}$$
$$2\,)\underline{8 \quad 12}$$
$$2\,)\underline{4 \quad\;\; 6}$$
$$2 \quad\;\; 3$$

16과 24의 최대공약수: $2 \times 2 \times 2 = 8$

10

$$2\,)\underline{28 \quad 42}$$
$$7\,)\underline{14 \quad 21}$$
$$2 \quad\;\; 3$$

$$2\,)\underline{36 \quad 60}$$
$$2\,)\underline{18 \quad 30}$$
$$3\,)\underline{9 \quad 15}$$
$$3 \quad\;\; 5$$

28과 42의 최대공약수: $2 \times 7 = 14$

36과 60의 최대공약수: $2 \times 2 \times 3 = 12$

⇨ 14 > 12이므로 더 큰 최대공약수는 14입니다.

유형 6 두 수의 공약수는 두 수의 최대공약수의 약수와 같습니다.

28의 약수: 1, 2, 4, 7, 14, 28 → 6개

⇨ 두 수의 공약수는 모두 6개입니다.

11 두 수의 공약수는 두 수의 최대공약수의 약수와 같습니다.

30의 약수: 1, 2, 3, 5, 6, 10, 15, 30 → 8개

⇨ 두 수의 공약수는 모두 8개입니다.

12 두 수의 공약수는 두 수의 최대공약수의 약수와 같습니다.

14의 약수: 1, 2, 7, 14

$\Rightarrow 1+2+7+14=24$

유형 7 가$=2\times3\times7$

나$=2\times3\times5$

$\Rightarrow$ 가와 나의 최소공배수:

$2\times3\times7\times5=210$

13 가$=2\times2\times3\times5$

나$=2\times3\times3$

$\Rightarrow$ 가와 나의 최소공배수:

$2\times3\times2\times5\times3=180$

14 가$=2\times5$

나$=2\times2\times5\times\square$

$\Rightarrow$ 두 수 가와 나의 최소공배수가 60이므로

$2\times5\times2\times\square=60$

$20\times\square=60$

$\square=3$

유형 8 $18)\overline{\quad㉮\quad 90\quad}$

$\qquad\quad\overline{\quad㉠\quad 5\quad}$

두 수의 최소공배수가 360이므로

$18\times㉠\times5=360$

$90\times㉠=360$

$㉠=4$

$\Rightarrow ㉮\div18=4$

$㉮=4\times18$

$㉮=72$

15

푸는 순서

❶ ㉠ 구하기

❷ ㉮ 구하기

❶ $24)\overline{\quad 72\quad ㉮\quad}$

$\qquad\quad\overline{\quad 3\quad ㉠\quad}$

두 수의 최소공배수가 144이므로

$24\times3\times㉠=144$

$72\times㉠=144$

$㉠=2$

❷ $㉮\div24=2$

$㉮=2\times24$

$㉮=48$

16 어떤 수를 ㉮라 하면

$4)\overline{\quad 28\quad ㉮\quad}$

$\qquad\quad\overline{\quad 7\quad ㉠\quad}$

두 수의 최소공배수가 112이므로

$4\times7\times㉠=112$

$28\times㉠=112$

$㉠=4$

$\Rightarrow ㉮\div4=4$

$㉮=4\times4$

$㉮=16$

유형 9 두 사람은 오늘부터 15와 12의 최소공배수인 날수가 지날 때마다 같이 수영장에 갑니다.

$3)\overline{\quad 15\quad 12\quad}$ 15와 12의 최소공배수:

$\qquad\quad\overline{\quad 5\quad 4\quad}$ $3\times5\times4=60$

$\Rightarrow$ 바로 다음번에 두 사람이 같이 수영장에 가는 날은 오늘부터 60일 후입니다.

17 두 사람은 오늘부터 16과 12의 최소공배수인 날수가 지날 때마다 같이 도서관에 갑니다.

$2)\overline{\quad 16\quad 12\quad}$

$2)\overline{\quad 8\quad 6\quad}$ 16과 12의 최소공배수:

$\qquad\quad\overline{\quad 4\quad 3\quad}$ $2\times2\times4\times3=48$

$\Rightarrow$ 바로 다음번에 두 사람이 같이 도서관에 가는 날은 오늘부터 48일 후입니다.

18 두 버스는 오전 8시부터 10과 25의 최소공배수인 시간이 지날 때마다 동시에 출발합니다.

$5)\overline{\quad 10\quad 25\quad}$ 10과 25의 최소공배수:

$\qquad\quad\overline{\quad 2\quad 5\quad}$ $5\times2\times5=50$

$\Rightarrow$ 두 버스가 50분마다 동시에 출발하므로 이날 오전에 두 버스가 동시에 출발하는 시각은 오전 8시, 오전 8시 50분, 오전 9시 40분, 오전 10시 30분, 오전 11시 20분으로 모두 5번입니다.

유형 10 36의 약수: 1, 2, 3, 4, 6, 9, 12, 18, 36
- 어떤 수가 1일 때 어떤 수의 약수를 모두 더하면 1입니다.
- 어떤 수가 2일 때 어떤 수의 약수를 모두 더하면 $1+2=3$입니다.
- 어떤 수가 3일 때 어떤 수의 약수를 모두 더하면 $1+3=4$입니다.
- 어떤 수가 4일 때 어떤 수의 약수를 모두 더하면 $1+2+4=7$입니다.
- 어떤 수가 6일 때 어떤 수의 약수를 모두 더하면 $1+2+3+6=12$입니다.
- 어떤 수가 9일 때 어떤 수의 약수를 모두 더하면 $1+3+9=13$입니다.
- 어떤 수가 12일 때 어떤 수의 약수를 모두 더하면 $1+2+3+4+6+12=28$입니다.
- 어떤 수가 18일 때 어떤 수의 약수를 모두 더하면 $1+2+3+6+9+18=39$입니다.
- 어떤 수가 36일 때 어떤 수의 약수를 모두 더하면 $1+2+3+4+6+9+12+18+36=91$입니다.

⇨ 어떤 수는 12입니다.

19 20의 약수: 1, 2, 4, 5, 10, 20
- 어떤 수가 1일 때 어떤 수의 약수를 모두 더하면 1입니다.
- 어떤 수가 2일 때 어떤 수의 약수를 모두 더하면 $1+2=3$입니다.
- 어떤 수가 4일 때 어떤 수의 약수를 모두 더하면 $1+2+4=7$입니다.
- 어떤 수가 5일 때 어떤 수의 약수를 모두 더하면 $1+5=6$입니다.
- 어떤 수가 10일 때 어떤 수의 약수를 모두 더하면 $1+2+5+10=18$입니다.
- 어떤 수가 20일 때 어떤 수의 약수를 모두 더하면 $1+2+4+5+10+20=42$입니다.

⇨ 어떤 수는 10입니다.

유형 11 4와 7의 최소공배수인 28의 배수 중에서 60보다 크고 100보다 작은 수를 찾습니다.

⇨ 28, 56, ⑧④, 112……

따라서 조건을 모두 만족하는 수는 84입니다.

20 5와 9의 최소공배수인 45의 배수 중에서 100보다 크고 200보다 작은 수를 찾습니다.

⇨ 45, 90, ⑬⑤, ⑱⓪, 225……

따라서 조건을 만족하는 수는 135, 180입니다.

21 1부터 100까지의 자연수 중에서
- 4의 배수의 개수: $100÷4=25$(개)
- 5의 배수의 개수: $100÷5=20$(개)
- 4와 5의 공배수의 개수: 4와 5의 최소공배수가 20이므로 $100÷20=5$(개)

⇨ $100-25-20+5=60$(개)

> **주의**
>
> 1부터 100까지의 자연수 중에서 4의 배수와 5의 배수의 개수를 각각 빼면 4와 5의 공배수인 20의 배수의 개수를 두 번 뺀 것이므로 20의 배수의 개수를 반드시 더해야 합니다.

유형 12 7로 나누었을 때 나누어떨어지면 그 수는 7의 배수입니다.

$27÷7=3…6$, $91÷7=13$, $112÷7=16$,
$97÷7=13…6$, $125÷7=17…6$

⇨ 7의 배수는 91, 112로 모두 2개입니다.

22 9로 나누었을 때 나누어떨어지면 그 수는 9의 배수입니다.

$32÷9=3…5$, $56÷9=6…2$, $81÷9=9$,
$118÷9=13…1$, $135÷9=15$, $153÷9=17$

⇨ 9의 배수는 81, 135, 153으로 모두 3개입니다.

23 11로 나누었을 때 나누어떨어지면 그 수는 11의 배수입니다.

$33÷11=3$, $55÷11=5$, $111÷11=10…1$,
$132÷11=12$, $164÷11=14…10$,
$220÷11=20$

⇨ 11의 배수가 아닌 수는 111, 164로 모두 2개입니다.

유형 13 가장 큰 정사각형의 한 변의 길이는 56과 42의 최대공약수입니다.

```
2) 56  42
7) 28  21
    4   3
```

56과 42의 최대공약수: $2\times7=14$

가장 큰 정사각형의 한 변의 길이: 14 cm

⇨ 가로로 $56\div14=4$(개), 세로로 $42\div14=3$(개) 씩 모두 $4\times3=12$(개)의 정사각형을 만들 수 있습니다.

24 가장 큰 정사각형의 한 변의 길이는 48과 30의 최대공약수입니다.

$$\begin{array}{r}2)\underline{48\quad30}\\3)\underline{24\quad15}\\8\quad5\end{array}$$

48과 30의 최대공약수: $2\times3=6$

가장 큰 정사각형의 한 변의 길이: 6 cm

⇨ 가로로 $48\div6=8$(개), 세로로 $30\div6=5$(개)씩 모두 $8\times5=40$(개)의 정사각형을 만들 수 있습니다.

25 나누어 줄 수 있는 학생 수는 36과 28의 최대공약수입니다.

$$\begin{array}{r}2)\underline{36\quad28}\\2)\underline{18\quad14}\\9\quad7\end{array}$$

36과 28의 최대공약수: $2\times2=4$

⇨ 학생 한 명에게 연필은 $36\div4=9$(자루)씩, 볼펜은 $28\div4=7$(자루)씩 나누어 줄 수 있습니다.

유형 14 $\langle15\rangle=1+3+5+15=24$

$\langle21\rangle=1+3+7+21=32$

⇨ $\langle15\rangle+\langle21\rangle=24+32=56$

26 $\langle24\rangle=1+2+3+4+6+8+12+24=60$

$\langle18\rangle=1+2+3+6+9+18=39$

⇨ $\langle24\rangle-\langle18\rangle=60-39=21$

27
$$\begin{array}{r}3)\underline{15\quad45}\\5)\underline{5\quad15}\\1\quad3\end{array}\qquad\begin{array}{r}2)\underline{28\quad42}\\7)\underline{14\quad21}\\2\quad3\end{array}$$

15와 45의 최대공약수: $3\times5=15$

28과 42의 최소공배수: $2\times7\times2\times3=84$

⇨ $\{15,\ 45\}+\langle28,\ 42\rangle$
$=15+84=99$

22~23쪽

유형 15	9		
28	15	**29**	77
유형 16	5	**30**	4
유형 17	15		
31	80	**32**	9
유형 18	7		
33	9	**34**	90, 10

유형 15 $30-3=27$과 $40-4=36$의 공약수를 구합니다.

$$\begin{array}{r}3)\underline{27\quad36}\\3)\underline{9\quad12}\\3\quad4\end{array}$$

27과 36의 최대공약수: $3\times3=9$

27과 36의 공약수: 1, 3, 9

⇨ ㉠은 1, 3, 9 중 나머지인 3, 4보다 커야 하므로 9입니다.

> **주의**
> 나누는 수는 나머지보다 커야 하므로 공약수 중에서 나머지인 3, 4보다 큰 수를 구해야 합니다.

28 $46-1=45$와 $35-5=30$의 공약수를 구합니다.

$$\begin{array}{r}3)\underline{45\quad30}\\5)\underline{15\quad10}\\3\quad2\end{array}$$

45와 30의 최대공약수: $3\times5=15$

45와 30의 공약수: 1, 3, 5, 15

⇨ ㉠은 1, 3, 5, 15 중 나머지인 1, 5보다 커야 하므로 15입니다.

> **참고**
> 어떤 수로 ㉮와 ㉯를 나누면 나머지가 각각 ■, ▲인 경우
> ⇨ (㉮-■)와 (㉯-▲)는 어떤 수로 나누어떨어집니다.

29 (어떤 수)-5를 18과 24로 각각 나누면 나누어떨어지므로 (어떤 수)-5는 18과 24의 공배수입니다.

$$\begin{array}{r}2)\underline{18\quad24}\\3)\underline{9\quad12}\\3\quad4\end{array}$$

⇨ 18과 24의 최소공배수가 $2\times3\times3\times4=72$이므로 어떤 수 중에서 가장 작은 두 자리 수는 $72+5=77$입니다.

유형 16 40과 16의 최소공배수만큼 톱니가 맞물려야 두 톱니바퀴가 다시 처음 맞물렸던 자리로 돌아옵니다.

$$2\,)\underline{40\quad 16}$$
$$2\,)\underline{20\quad 8}$$
$$2\,)\underline{10\quad 4}$$
$$\quad\ 5\quad 2$$

40과 16의 최소공배수:
$2\times2\times2\times5\times2=80$

⇨ ⓒ 톱니바퀴는 적어도 $80\div16=5$(바퀴) 돌아야 합니다.

30 | 푸는 순서
❶ 두 톱니바퀴의 톱니 수의 최소공배수 구하기
❷ ㉠ 톱니바퀴의 회전수 구하기

❶ 27과 36의 최소공배수만큼 톱니가 맞물려야 두 톱니바퀴가 다시 처음 맞물렸던 자리로 돌아옵니다.

$$3\,)\underline{27\quad 36}$$
$$3\,)\underline{9\quad 12}$$
$$\quad\ 3\quad 4$$

27과 36의 최소공배수:
$3\times3\times3\times4=108$

❷ ㉠ 톱니바퀴는 적어도 $108\div27=4$(바퀴) 돌아야 합니다.

유형 17 36의 약수: 1, 2, 3, 4, 6, 9, 12, 18, 36
→ [36]=9
8의 약수: 1, 2, 4, 8 → [8]=4
25의 약수: 1, 5, 25 → [25]=3
⇨ ([36]−[8])×[25]
$\quad =(9-4)\times3$
$\quad =5\times3=15$

31 28의 약수: 1, 2, 4, 7, 14, 28 → [28]=6
14의 약수: 1, 2, 7, 14 → [14]=4
30의 약수: 1, 2, 3, 5, 6, 10, 15, 30 → [30]=8
⇨ ([28]+[14])×[30]
$\quad =(6+4)\times8$
$\quad =10\times8=80$

32
$$2\,)\underline{36\quad 54}$$
$$3\,)\underline{18\quad 27}$$
$$3\,)\underline{6\quad 9}$$
$$\quad\ 2\quad 3$$

36과 54의 최대공약수:
$2\times3\times3=18$

18의 약수: 1, 2, 3, 6, 9, 18 → [18]=6
49의 약수: 1, 7, 49 → [49]=3
⇨ [36★54]+[49]
$\quad =[18]+[49]$
$\quad =6+3=9$

유형 18 40이 □의 배수이면 □는 40의 약수입니다.
40의 약수: 1, 2, 4, 5, 8, 10, 20, 40
⇨ □ 안에 들어갈 수 있는 1보다 큰 자연수는 2, 4, 5, 8, 10, 20, 40으로 모두 7개입니다.

33 48이 □의 배수이면 □는 48의 약수입니다.
48의 약수: 1, 2, 3, 4, 6, 8, 12, 16, 24, 48
⇨ □ 안에 들어갈 수 있는 1보다 큰 자연수는 2, 3, 4, 6, 8, 12, 16, 24, 48로 모두 9개입니다.

34 • ㉠이 가장 큰 수일 때 ㉠은 30의 배수인 가장 큰 두 자리 수이어야 하므로 90입니다.
• ㉠이 가장 작은 수일 때 ㉠은 30의 약수인 가장 작은 두 자리 수이어야 하므로 10입니다.

2단원 종합

24~26쪽	
1 ③	**2** 140
3 72	**4** 6
5 49	**6** 36
7 45	**8** 480
9 16	**10** 113
11 5	**12** 27

1 15의 약수 또는 배수가 아닌 수를 찾습니다.
15의 약수: 1, 3, 5, 15
15의 배수: 15, 30, 45……

2
$$2\,)\underline{28\quad 70}$$
$$7\,)\underline{14\quad 35}$$
$$\quad\ 2\quad 5$$

28과 70의 최소공배수:
$2\times7\times2\times5=140$

3 6, 12, 18, 24……는 6의 배수입니다.
⇨ 12번째의 6의 배수는 $6 \times 12 = 72$입니다.

4

$$2)\underline{24 \quad 30} \qquad 3)\underline{54 \quad 45}$$
$$3)\underline{12 \quad 15} \qquad 3)\underline{18 \quad 15}$$
$$\quad \ 4 \quad \ 5 \qquad \qquad \ 6 \quad \ 5$$

24와 30의   54와 45의
최대공약수: 최대공약수:
$2 \times 3 = 6$ $3 \times 3 = 9$
⇨ $6 < 9$이므로 더 작은 최대공약수는 6입니다.

5 10의 약수: 1, 2, 5, 10 → 4개
13의 약수: 1, 13 → 2개
49의 약수: 1, 7, 49 → 3개
21의 약수: 1, 3, 7, 21 → 4개
⇨ 약수의 개수가 3개인 수는 49입니다.

6

$$3)\underline{9 \quad 12} \qquad 9와 \ 12의 \ 최소공배수:$$
$$\quad \ 3 \quad \ 4 \qquad \quad 3 \times 3 \times 4 = 36$$

⇨ 정사각형의 한 변의 길이는 36 cm로 해야 합니다.

7

$$ⓒ)\underline{ⓐ \quad 30}$$
$$5)\underline{15 \quad 10}$$
$$\quad \ 3 \quad \ 2$$

두 수의 최소공배수가 90이므로
$ⓒ \times 5 \times 3 \times 2 = 90$
$ⓒ \times 30 = 90$
$ⓒ = 3$
⇨ $ⓐ \div 3 = 15$
$ⓐ = 15 \times 3$
$ⓐ = 45$

8

$$2)\underline{20 \quad 24}$$
$$2)\underline{10 \quad 12} \qquad 20과 \ 24의 \ 최소공배수:$$
$$\quad \ 5 \quad \ 6 \qquad \quad 2 \times 2 \times 5 \times 6 = 120$$

⇨ $500 \div 120 = 4 \cdots 20$이므로
$120 \times 4 = 480$, $120 \times 5 = 600$ 중에서
500에 가장 가까운 수는 480입니다.

9 약수를 모두 더하면 31이므로 어떤 수는 31보다 작은 8의 배수입니다.
8, 16, 24 중에서 약수를 모두 더하면 31인 수를 찾습니다.
· 8의 약수: 1, 2, 4, 8
→ $1 + 2 + 4 + 8 = 15 \ (\times)$
· 16의 약수: 1, 2, 4, 8, 16
→ $1 + 2 + 4 + 8 + 16 = 31 \ (\bigcirc)$
· 24의 약수: 1, 2, 3, 4, 6, 8, 12, 24
→ $1 + 2 + 3 + 4 + 6 + 8 + 12 + 24 = 60 \ (\times)$
⇨ 어떤 수는 16입니다.

10

$$2)\underline{16 \quad 40} \qquad 7)\underline{21 \quad 35}$$
$$2)\underline{8 \quad 20} \qquad \quad \ 3 \quad \ 5$$
$$2)\underline{4 \quad 10}$$
$$\quad \ 2 \quad \ 5$$

16과 40의   21과 35의
최대공약수: 최소공배수:
$2 \times 2 \times 2 = 8$ $7 \times 3 \times 5 = 105$
⇨ $\{16, 40\} + \langle 21, 35 \rangle$
$= 8 + 105 = 113$

11 32가 □의 배수이면 □는 32의 약수입니다.
32의 약수: 1, 2, 4, 8, 16, 32
⇨ □ 안에 들어갈 수 있는 1보다 큰 자연수는
2, 4, 8, 16, 32로 모두 5개입니다.

> 참고
> ▲가 ■의 배수이면 ■는 ▲의 약수입니다.

12 (어떤 수)−3을 8과 6으로 각각 나누면 나누어떨어지므로 (어떤 수)−3은 8과 6의 공배수입니다.

$$2)\underline{8 \quad 6}$$
$$\quad \ 4 \quad \ 3$$

⇨ 8과 6의 최소공배수가 $2 \times 4 \times 3 = 24$이므로
어떤 수 중에서 가장 작은 두 자리 수는
$24 + 3 = 27$입니다.

> 참고
> ⓐ으로 나누어도 ●가 남고
> ⓒ으로 나누어도 ●가 남는 수
> ⇨ ⓐ과 ⓒ의 공배수보다 ● 큰 수

27~29쪽

유형 **1** 2	
1 5	**2** 6
유형 **2** ③	
3 ②	**4** ①, ④
유형 **3** 5	
5 15	**6** 1000
유형 **4** 17	
7 30	**8** 96
유형 **5** 33	
9 15	**10** 62
유형 **6** 12	**11** 48

유형 **1** ○는 △의 2배이므로 △×2=○입니다.
⇨ □=2

1 ◇를 5로 나누면 ◎와 같으므로 ◇÷5=◎입니다.
⇨ □=5

2 ♡는 ○보다 6 크므로 ○+6=♡입니다.
○는 ♡보다 6 작으므로 ♡−6=○입니다.
⇨ □ 안에 공통으로 들어가는 수는 6입니다.

유형 **2** ③ ○는 □보다 3 크므로 □+3=○입니다.

> 참고
> □와 ○ 사이의 대응 관계를 +, −, ×, ÷ 등을 이용하여 식으로 나타냅니다.

3 ② ○는 △의 6배이므로 △×6=○입니다.

4 ① △는 ☆의 4배이므로 ☆×4=△입니다.
④ △를 4로 나누면 ☆과 같으므로 △÷4=☆입니다.

유형 **3** 모둠의 수(○)와 학생의 수(△) 사이의 대응 관계를 식으로 나타내면 ○×5=△입니다.
⇨ □=5

5 샤워기를 사용한 시간을 △(분), 나온 물의 양을 ☆(L)라고 할 때, △와 ☆ 사이의 대응 관계를 식으로 나타내면 △×15=☆입니다.
⇨ □=15

6 형이 모은 돈(◇)과 동생이 모은 돈(☆) 사이의 대응 관계를 식으로 나타내면 ☆+1000=◇입니다.
⇨ □=1000

유형 **4** ○는 □보다 2 크므로 □+2=○입니다.
⇨ □가 15일 때
15+2=○, ○=17입니다.

7
> 푸는 순서
> ❶ △와 ☆ 사이의 대응 관계를 식으로 나타내기
> ❷ △가 10일 때 ☆ 구하기

❶ ☆은 △의 3배이므로 △×3=☆입니다.
❷ △가 10일 때
10×3=☆, ☆=30입니다.

8 ○를 8로 나누면 ◇와 같으므로 ○÷8=◇입니다.
⇨ ◇가 12일 때
○÷8=12, ○=12×8, ○=96입니다.

유형 **5** △는 □보다 3 크므로 □+3=△입니다.
㉠+3=16 → ㉠=13,
17+3=㉡ → ㉡=20
⇨ ㉠+㉡=13+20=33

9 ○는 ☆의 3배이므로 ☆×3=○입니다.
10×3=㉠ → ㉠=30,
㉡×3=45 → ㉡=15
⇨ ㉠−㉡=30−15=15

10

푸는 순서
❶ △와 ○ 사이의 대응 관계를 찾아 ㉠ 구하기
❷ ○와 ◎ 사이의 대응 관계를 찾아 ㉡ 구하기
❸ ㉠과 ㉡에 알맞은 수의 합 구하기

❶ ○는 △보다 4 크므로 △＋4＝○입니다.
→ △가 8일 때
8＋4＝㉠, ㉠＝12입니다.
❷ ◎는 ○의 5배이므로 ○×5＝◎입니다.
→ ○가 10일 때
10×5＝㉡, ㉡＝50입니다.
❸ ㉠＋㉡＝12＋50＝62

유형 6

| 진영이가 낸 카드의 수 | 5 | 9 | 10 | …… |
| 연희가 낸 카드의 수 | 3 | 7 | 8 | …… |

진영이가 낸 카드의 수를 □, 연희가 낸 카드의 수를
△라고 할 때,
5－2＝3, 9－2＝7, 10－2＝8이므로
□－2＝△입니다.
⇨ □＝14일 때 14－2＝△, △＝12이므로
진영이가 14 를 낸다면 연희는 12가 쓰인 수 카
드를 내야 합니다.

11

전략 가이드
준수와 소진이가 낸 카드의 수 사이의 대응 관계를 알
아봅니다.

| 준수가 낸 카드의 수 | 3 | 7 | 8 | …… |
| 소진이가 낸 카드의 수 | 12 | 28 | 32 | …… |

준수가 낸 카드의 수를 □, 소진이가 낸 카드의 수를
△라고 할 때,
3×4＝12, 7×4＝28, 8×4＝32이므로
□×4＝△입니다.
⇨ □＝12일 때 12×4＝△, △＝48이므로
준수가 12 를 낸다면 소진이는 48이 쓰인 수 카
드를 내야 합니다.

3단원 기출 유형 정답률 55%이상

30 ~ 31쪽

유형 **7**	23	**12**	45
유형 **8**	55		
13	56	**14**	35
유형 **9**	16	**15**	34
유형 **10**	76		
16	41	**17**	40

유형 7

| 배열 순서 | 1 | 2 | 3 | …… |
| 정사각형의 수(개) | 1 | 3 | 5 | …… |

배열 순서를 □, 정사각형의 수를 △라고 할 때,
1×2－1＝1, 2×2－1＝3, 3×2－1＝5이므로
□×2－1＝△입니다.
⇨ □＝12일 때 12×2－1＝△, △＝23이므로
12째에는 정사각형을 모두 23개 놓아야 합니다.

12

| 배열 순서 | 1 | 2 | 3 | 4 | …… |
| 바둑돌의 수(개) | 3 | 6 | 9 | 12 | …… |

배열 순서를 □, 바둑돌의 수를 △라고 할 때,
△는 □의 3배이므로 □×3＝△입니다.
⇨ □＝15일 때 15×3＝△, △＝45이므로
15째에는 바둑돌을 모두 45개 놓아야 합니다.

유형 8

| 통나무를 자른 횟수(번) | 1 | 2 | 3 | 4 | …… |
| 통나무 도막의 수(도막) | 2 | 3 | 4 | 5 | …… |

(통나무 도막의 수)－1＝(통나무를 자른 횟수)이므
로 통나무를 12도막으로 자르려면 12－1＝11(번)
잘라야 합니다.
⇨ (통나무를 12도막으로 자르는 데 걸리는 시간)
＝5×11＝55(분)

13

| 끈을 자른 횟수(번) | 1 | 2 | 3 | 4 | …… |
| 끈 도막의 수(도막) | 2 | 3 | 4 | 5 | …… |

(끈 도막의 수)－1＝(끈을 자른 횟수)이므로 끈을
15도막으로 자르려면 15－1＝14(번) 잘라야 합니다.
⇨ (끈을 15도막으로 자르는 데 걸리는 시간)
＝4×14＝56(초)

14

통나무를 자른 횟수(번)	1	2	3	4	⋯⋯
통나무 도막의 수(도막)	2	3	4	5	⋯⋯

(통나무 도막의 수)−1=(통나무를 자른 횟수)이므로 10도막으로 자르려면 10−1=9(번) 잘라야 하고, 마지막에는 쉬지 않으므로 8번 쉬게 됩니다.

⇨ (통나무를 10도막으로 자르는 데 걸리는 시간)
  =3×9+1×8
  =27+8=35(분)

유형 9

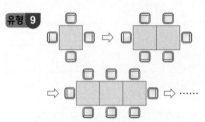

탁자의 수(개)	1	2	3	4	⋯⋯
의자의 수(개)	4	6	8	10	⋯⋯

탁자의 수를 □, 의자의 수를 △라고 할 때,
□×2+2=△입니다.

⇨ □=7일 때 7×2+2=△, △=16이므로
  탁자 7개를 한 줄로 이어 붙이면 의자는 16개 필요합니다.

다른 풀이

탁자 한 개에 의자가 4개 있고 탁자가 1개 늘어날 때마다 의자는 2개씩 늘어납니다.
⇨ 탁자 7개를 한 줄로 이어 붙이면 의자는
  4+2×6=4+12=16(개) 필요합니다.

15 **전략 가이드**

탁자의 수와 의자의 수 사이의 대응 관계를 표로 나타내어 알아봅니다.

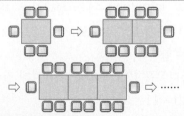

탁자의 수(개)	1	2	3	4	⋯⋯
의자의 수(개)	6	10	14	18	⋯⋯

탁자의 수를 □, 의자의 수를 △라고 할 때,
□×4+2=△입니다.

⇨ □=8일 때 8×4+2=△, △=34이므로
  탁자 8개를 한 줄로 이어 붙이면 의자는 34개 필요합니다.

유형 10

정사각형의 수(개)	1	2	3	4	⋯⋯
성냥개비의 수(개)	4	7	10	13	⋯⋯

정사각형의 수를 □, 성냥개비의 수를 △라고 할 때,
□×3+1=△입니다.

⇨ □=25일 때 25×3+1=△, △=76이므로
  정사각형을 25개 만들려면 성냥개비는 76개 필요합니다.

16

정삼각형의 수(개)	1	2	3	4	⋯⋯
성냥개비의 수(개)	3	5	7	9	⋯⋯

정삼각형의 수를 □, 성냥개비의 수를 △라고 할 때,
□×2+1=△입니다.

⇨ □=20일 때 20×2+1=△, △=41이므로
  정삼각형을 20개 만들려면 성냥개비는 41개 필요합니다.

17

정사각형의 수(개)	1	2	3	4	⋯⋯
성냥개비의 수(개)	4	7	10	13	⋯⋯

정사각형의 수를 □, 성냥개비의 수를 △라고 할 때,
□×3+1=△입니다.

⇨ △=121일 때 □×3+1=121, □=40이므로
  정사각형을 40개까지 만들 수 있습니다.

3단원 종합

32~34쪽

1 2	**2** 5
3 ②	
4 (예) □×25=△ 또는 △÷25=□	
5 48	**6** 11
7 30	**8** 10
9 13	**10** 33
11 57	**12** 61

1 사각형 1개에 원이 2개씩 필요하므로 원의 수는 사각형의 수의 2배입니다.

2 오각형의 꼭짓점 수는 오각형의 수의 5배이므로
(오각형의 수)×5＝(오각형의 꼭짓점 수)입니다.
⇨ □＝5

3 ② ○는 □보다 7 작으므로 □－7＝○입니다.

4 만화 영화를 상영하기 위해서 1초에 그림이 25장씩 필요합니다.

5 △는 ☆의 4배이므로 ☆×4＝△입니다.
⇨ ☆＝12일 때
12×4＝△, △＝48입니다.

6

마름모 조각의 수(개)	1	2	3	4	……
삼각형 조각의 수(개)	2	3	4	5	……

삼각형 조각의 수는 마름모 조각의 수보다 1 크므로 마름모 조각이 10개일 때 삼각형 조각은
10＋1＝11(개) 필요합니다.

7

푸는 순서
❶ 배열 순서와 바둑돌의 수 사이의 대응 관계를 식으로 나타내기
❷ 15째에 놓아야 하는 바둑돌의 개수 구하기

❶ 첫째 둘째 셋째 넷째

배열 순서	1	2	3	4	……
바둑돌의 수(개)	2	4	6	8	……

배열 순서를 □, 바둑돌의 수를 △라고 할 때,
△는 □의 2배이므로 □×2＝△입니다.
❷ □＝15일 때 15×2＝△, △＝30이므로
15째에는 바둑돌을 모두 30개 놓아야 합니다.

8 런던의 시각은 서울의 시각보다
오전 11시－오전 2시＝9(시간) 느리므로
(서울의 시각)－9＝(런던의 시각)입니다.
⇨ 서울이 오후 7시일 때
(런던의 시각)＝오후 7시－9시간
└→ 오후 7시는 12＋7＝19(시)
＝19시－9시간＝오전 10시

9

푸는 순서
❶ ○와 ◎ 사이의 대응 관계를 식으로 나타내기
❷ ㉠과 ㉡ 각각 구하기
❸ ㉠과 ㉡에 알맞은 수의 차 구하기

❶ ◎는 ○보다 5 크므로 ○＋5＝◎입니다.
❷ ㉠＋5＝15 → ㉠＝10,
18＋5＝㉡ → ㉡＝23
❸ ㉡－㉠＝23－10＝13

10

연우가 말한 수	6	15	21	……
성훈이가 답한 수	2	5	7	……

연우가 말한 수를 □, 성훈이가 답한 수를 △라고 할 때, □를 3으로 나누면 △와 같으므로 □÷3＝△입니다.
⇨ △＝11일 때 □÷3＝11, □＝11×3, □＝33
이므로 연우는 33이라고 말했습니다.

11

나무막대를 자른 횟수(번)	1	2	3	4	……
나무막대 도막의 수(도막)	2	3	4	5	……

(나무막대 도막의 수)－1＝(나무막대를 자른 횟수)
나무막대를 20도막으로 자르려면 20－1＝19(번) 잘라야 합니다.
⇨ (나무막대를 20도막으로 자르는 데 걸리는 시간)
＝3×19＝57(분)

12

정오각형의 수(개)	1	2	3	4	……
성냥개비의 수(개)	5	9	13	17	……

정오각형의 수를 □, 성냥개비의 수를 △라고 할 때,
□×4＋1＝△입니다.
⇨ □＝15일 때 15×4＋1＝△, △＝61이므로 정오각형을 15개 만들려면 성냥개비는 61개 필요합니다.

4단원 기출 유형 정답률 75% 이상

35~41쪽

유형 **1** 3			
1 2		**2** ②	
유형 **2** 6			
3 36		**4** 96	
유형 **3** 63			
5 98		**6** 3	
유형 **4** 2			
7 3		**8** 4	
유형 **5** 16			
9 4		**10** 재호	
유형 **6** 70			
11 48		**12** 144	
유형 **7** 18			
13 $\frac{10}{45}$		**14** $\frac{9}{15}$	
유형 **8** ②			
15 ⑤		**16** 1.6, $1\frac{2}{5}$, $1\frac{1}{4}$	
유형 **9** 27			
17 11		**18** $\frac{3}{10}$, $\frac{7}{12}$	
유형 **10** 3			
19 2		**20** 2	
유형 **11** 3			
21 4		**22** 6	
유형 **12** 5			
23 16		**24** 14	
유형 **13** 38			
25 57		**26** 14	
유형 **14** 68			
27 27		**28** 3	

유형 **1** $\frac{12}{18}=\frac{12\div6}{18\div6}=\frac{2}{3}$,

$\frac{12}{18}=\frac{12\div2}{18\div2}=\frac{6}{9}$,

$\frac{12}{18}=\frac{12\times2}{18\times2}=\frac{24}{36}$

⇨ $\frac{12}{18}$와 크기가 같은 분수를 찾으면 $\frac{2}{3}$, $\frac{6}{9}$, $\frac{24}{36}$로 모두 3개입니다.

1 $\frac{27}{36}=\frac{27\div9}{36\div9}=\frac{3}{4}$,

$\frac{27}{36}=\frac{27\times2}{36\times2}=\frac{54}{72}$

⇨ $\frac{27}{36}$과 크기가 같은 분수를 찾으면 $\frac{3}{4}$, $\frac{54}{72}$로 모두 2개입니다.

2 ① $\frac{6}{27}=\frac{6\div3}{27\div3}=\frac{2}{9}$ ② $\frac{8}{18}=\frac{8\div2}{18\div2}=\frac{4}{9}$

③ $\frac{12}{54}=\frac{12\div6}{54\div6}=\frac{2}{9}$ ④ $\frac{10}{45}=\frac{10\div5}{45\div5}=\frac{2}{9}$

⇨ 크기가 나머지와 다른 하나는 ② $\frac{8}{18}$입니다.

유형 **2** $96\div16=6$에서 분모를 6으로 나누었으므로 분자도 6으로 나누어야 합니다.

$\frac{36}{96}=\frac{36\div6}{96\div6}=\frac{6}{16}$ ⇨ ▲=6

3 $45\div5=9$에서 분모에 9를 곱했으므로 분자에도 9를 곱해야 합니다.

$\frac{4}{5}=\frac{4\times9}{5\times9}=\frac{36}{45}$ ⇨ ●=36

4 만든 분수의 분모를 □라 하면 $\frac{7}{12}=\frac{56}{□}$입니다.

$56\div7=8$에서 분자에 8을 곱했으므로 분모에도 8을 곱해야 합니다.

$\frac{7}{12}=\frac{7\times8}{12\times8}=\frac{56}{96}$ ⇨ □=96

유형 **3** 공통분모가 될 수 있는 수는 6과 9의 최소공배수인 18의 배수입니다.

⇨ 18의 배수를 작은 수부터 차례로 쓰면 18, 36, 54, 72, 90……이므로 공통분모가 될 수 없는 수는 63입니다.

5 공통분모가 될 수 있는 수는 8과 12의 최소공배수인 24의 배수입니다.

⇨ 24의 배수를 작은 수부터 차례로 쓰면 24, 48, 72, 96, 120……이므로 공통분모가 될 수 없는 수는 98입니다.

6 공통분모가 될 수 있는 수는 12와 18의 최소공배수
인 36의 배수입니다.

⇨ 공통분모가 될 수 있는 수는 36, 72, 108로 모두
3개입니다.

유형 **4** $\dfrac{5}{9}$, $\dfrac{7}{10}$ ⇨ 2개

참고
기약분수: 분모와 분자의 공약수가 1뿐인 분수

7 $\dfrac{3}{5}$, $\dfrac{7}{9}$, $\dfrac{8}{11}$ ⇨ 3개

8 $\dfrac{\square}{10}$가 진분수가 되려면 □ 안에는 1부터 9까지의 수
가 들어갈 수 있습니다.

⇨ 기약분수이므로 □ 안에 들어갈 수 있는 자연수
는 1, 3, 7, 9로 모두 4개입니다.

유형 **5** 한 번만 약분하여 기약분수로 나타내려면 분모와
분자를 두 수의 최대공약수로 각각 나누어야 합니다.

$$
\begin{array}{r|ll}
2) & 48 & 16 \\
2) & 24 & 8 \\
2) & 12 & 4 \\
2) & 6 & 2 \\
\hline
 & 3 & 1
\end{array}
$$

48과 16의 최대공약수:
$2 \times 2 \times 2 \times 2 = 16$

9 한 번만 약분하여 기약분수로 나타내려면 분모와 분
자를 두 수의 최대공약수로 각각 나누어야 합니다.

$$
\begin{array}{r|ll}
2) & 64 & 36 \\
2) & 32 & 18 \\
\hline
 & 16 & 9
\end{array}
$$

64와 36의 최대공약수:
$2 \times 2 = 4$

10 효진: $\dfrac{24}{40}$를 기약분수로 나타내려면 분모와 분자를
40과 24의 최대공약수로 각각 나누어야 합니다.

$$
\begin{array}{r|ll}
2) & 40 & 24 \\
2) & 20 & 12 \\
2) & 10 & 6 \\
\hline
 & 5 & 3
\end{array}
$$

40과 24의 최대공약수:
$2 \times 2 \times 2 = 8$

유형 **6** 공통분모가 될 수 있는 수 중에서 가장 작은 수는
두 분모 14와 10의 최소공배수입니다.

$$
\begin{array}{r|ll}
2) & 14 & 10 \\
\hline
 & 7 & 5
\end{array}
$$

14와 10의 최소공배수:
$2 \times 7 \times 5 = 70$

11 공통분모가 될 수 있는 수 중에서 가장 작은 수는 두
분모 16과 12의 최소공배수입니다.

$$
\begin{array}{r|ll}
2) & 16 & 12 \\
2) & 8 & 6 \\
\hline
 & 4 & 3
\end{array}
$$

16과 12의 최소공배수:
$2 \times 2 \times 4 \times 3 = 48$

12 공통분모가 될 수 있는 수는 두 분모 18과 24의 공
배수입니다.

$$
\begin{array}{r|ll}
2) & 18 & 24 \\
3) & 9 & 12 \\
\hline
 & 3 & 4
\end{array}
$$

18과 24의 최소공배수:
$2 \times 3 \times 3 \times 4 = 72$

⇨ 18과 24의 공배수는 72, 144, 216……이고,
공통분모가 될 수 있는 세 자리 수 중에서 가장
작은 수는 144입니다.

유형 **7** 약분하여 $\dfrac{5}{7}$가 되는 분수는 $\dfrac{5 \times \square}{7 \times \square}$입니다.

$$7 \times \square + 5 \times \square = 108$$
$$12 \times \square = 108$$
$$\square = 9$$

이므로 이 분수는 $\dfrac{5 \times 9}{7 \times 9} = \dfrac{45}{63}$입니다.

⇨ 분모와 분자의 차는 $63 - 45 = 18$입니다.

다른 풀이
$\dfrac{5}{7}$의 분모와 분자의 합은 $7 + 5 = 12$이므로 108은

$\dfrac{5}{7}$의 분모와 분자의 합의 $108 \div 12 = 9$(배)입니다.

⇨ $\dfrac{5 \times 9}{7 \times 9} = \dfrac{45}{63}$에서 분모와 분자의 차는

$63 - 45 = 18$입니다.

13 약분하여 $\dfrac{2}{9}$가 되는 분수는 $\dfrac{2 \times \square}{9 \times \square}$입니다.

$$9 \times \square - 2 \times \square = 35$$
$$7 \times \square = 35$$
$$\square = 5$$

⇨ $\dfrac{2 \times 5}{9 \times 5} = \dfrac{10}{45}$

14 약분하여 $\dfrac{3}{5}$이 되는 분수는 $\dfrac{3 \times \square}{5 \times \square}$입니다.

$$5 \times \square \times 3 \times \square = 135$$
$$15 \times \square \times \square = 135$$
$$\square \times \square = 9$$
$$\square = 3$$

$$\Rightarrow \dfrac{3 \times 3}{5 \times 3} = \dfrac{9}{15}$$

유형 8 ② $\dfrac{3}{4} = \dfrac{3 \times 25}{4 \times 25} = \dfrac{75}{100} = 0.75$

③ $\dfrac{19}{25} = \dfrac{19 \times 4}{25 \times 4} = \dfrac{76}{100} = 0.76$

⑤ $\dfrac{7}{8} = \dfrac{7 \times 125}{8 \times 125} = \dfrac{875}{1000} = 0.875$

$$\Rightarrow \underset{②}{\dfrac{3}{4}} < \underset{③}{\dfrac{19}{25}} < \underset{④}{0.795} < \underset{①}{0.8} < \underset{⑤}{\dfrac{7}{8}}$$

15 전략 가이드

분수를 소수로 나타내거나 소수를 분수로 나타내어 크기를 비교합니다.

① $\dfrac{4}{5} = \dfrac{4 \times 2}{5 \times 2} = \dfrac{8}{10} = 0.8$

③ $\dfrac{13}{20} = \dfrac{13 \times 5}{20 \times 5} = \dfrac{65}{100} = 0.65$

⑤ $\dfrac{9}{10} = 0.9$

$$\Rightarrow \underset{⑤}{\dfrac{9}{10}} > \underset{①}{\dfrac{4}{5}} > \underset{④}{0.72} > \underset{③}{\dfrac{13}{20}} > \underset{②}{0.6}$$

16 $1\dfrac{2}{5} = 1\dfrac{4}{10} = 1.4$

$1\dfrac{1}{4} = 1\dfrac{25}{100} = 1.25$

$\Rightarrow 1.6 > 1.4 > 1.25$이므로

$1.6 > 1\dfrac{2}{5} > 1\dfrac{1}{4}$입니다.

유형 9 $\dfrac{4}{\bigcirc} = \dfrac{4 \times 3}{\bigcirc \times 3} = \dfrac{12}{90} \rightarrow \bigcirc \times 3 = 90, \ \bigcirc = 30$

$\dfrac{\bigcirc}{45} = \dfrac{\bigcirc \times 2}{45 \times 2} = \dfrac{6}{90} \rightarrow \bigcirc \times 2 = 6, \ \bigcirc = 3$

$\Rightarrow \bigcirc - \bigcirc = 30 - 3 = 27$

17 $\dfrac{\bigcirc}{7} = \dfrac{\bigcirc \times 8}{7 \times 8} = \dfrac{24}{56} \rightarrow \bigcirc \times 8 = 24, \ \bigcirc = 3$

$\dfrac{5}{\bigcirc} = \dfrac{5 \times 7}{\bigcirc \times 7} = \dfrac{35}{56} \rightarrow \bigcirc \times 7 = 56, \ \bigcirc = 8$

$\Rightarrow \bigcirc + \bigcirc = 3 + 8 = 11$

18 두 분수를 각각의 분모와 분자의 최대공약수로 약분합니다.

$\dfrac{18}{60} = \dfrac{18 \div 6}{60 \div 6} = \dfrac{3}{10}$,

$\dfrac{35}{60} = \dfrac{35 \div 5}{60 \div 5} = \dfrac{7}{12}$

유형 10 $\dfrac{24}{40}$를 약분할 때 분모와 분자를 나눌 수 있는 수는 40과 24의 공약수입니다.

$\Rightarrow$ 40과 24의 공약수는 1, 2, 4, 8이므로 1을 제외하면 모두 3개입니다.

19 $\dfrac{27}{36}$을 약분할 때 분모와 분자를 나눌 수 있는 수는 36과 27의 공약수입니다.

$\Rightarrow$ 36과 27의 공약수는 1, 3, 9이므로 1을 제외하면 모두 2개입니다.

20 $\dfrac{16}{32}$을 약분할 때 분모와 분자를 나눌 수 있는 수는 32와 16의 공약수입니다.

$\Rightarrow$ 32와 16의 공약수는 1, 2, 4, 8, 16이므로 분모와 분자를 나눌 수 없는 수는 3과 6이므로 모두 2개입니다.

유형 11 $\dfrac{5 \times 2}{12 \times 2} = \dfrac{10}{24}$, $\dfrac{5 \times 3}{12 \times 3} = \dfrac{15}{36}$, $\dfrac{5 \times 4}{12 \times 4} = \dfrac{20}{48}$,

$\dfrac{5 \times 5}{12 \times 5} = \dfrac{25}{60}$ ······

$\Rightarrow$ 분모가 20보다 크고 60보다 작은 분수는

$\dfrac{10}{24}$, $\dfrac{15}{36}$, $\dfrac{20}{48}$으로 모두 3개입니다.

21 $\dfrac{7 \times 2}{16 \times 2} = \dfrac{14}{32}$, $\dfrac{7 \times 3}{16 \times 3} = \dfrac{21}{48}$, $\dfrac{7 \times 4}{16 \times 4} = \dfrac{28}{64}$,

$\dfrac{7 \times 5}{16 \times 5} = \dfrac{35}{80}$, $\dfrac{7 \times 6}{16 \times 6} = \dfrac{42}{96}$ ······

$\Rightarrow$ 분모가 30보다 크고 90보다 작은 분수는

$\dfrac{14}{32}$, $\dfrac{21}{48}$, $\dfrac{28}{64}$, $\dfrac{35}{80}$로 모두 4개입니다.

22

푸는 순서

❶ $\frac{11}{14}$과 크기가 같은 분수 알아보기

❷ ❶에서 알아본 분수 중 분모가 20보다 크고 두 자리 수인 분수 찾기

❶ $\frac{11\times2}{14\times2}=\frac{22}{28}$, $\frac{11\times3}{14\times3}=\frac{33}{42}$, $\frac{11\times4}{14\times4}=\frac{44}{56}$,

$\frac{11\times5}{14\times5}=\frac{55}{70}$, $\frac{11\times6}{14\times6}=\frac{66}{84}$, $\frac{11\times7}{14\times7}=\frac{77}{98}$,

$\frac{11\times8}{14\times8}=\frac{88}{112}$ ……

❷ 분모가 20보다 크고 두 자리 수인 분수는

$\frac{22}{28}$, $\frac{33}{42}$, $\frac{44}{56}$, $\frac{55}{70}$, $\frac{66}{84}$, $\frac{77}{98}$로 모두 6개입니다.

유형 12 분자에 더해야 하는 수를 $\square$라 하면

$\frac{5}{14}=\frac{5+\square}{14+14}=\frac{5+\square}{28}$에서 28은 14의 2배이므로

$5+\square$는 5의 2배입니다.

⇨ $5+\square=5\times2$

$5+\square=10$

$\square=5$

23 분자에 더해야 하는 수를 $\square$라 하면

$\frac{8}{15}=\frac{8+\square}{15+30}=\frac{8+\square}{45}$에서 45는 15의 3배이므로

$8+\square$는 8의 3배입니다.

⇨ $8+\square=8\times3$

$8+\square=24$

$\square=16$

24 분자에서 빼야 하는 수를 $\square$라 하면

$\frac{28}{40}=\frac{28-\square}{40-20}=\frac{28-\square}{20}$에서 20은 40을 2로 나눈

수이므로 $28-\square$는 28을 2로 나눈 수와 같습니다.

⇨ $28-\square=28\div2$

$28-\square=14$

$\square=14$

유형 13 $\frac{6}{9}=\frac{6\div3}{9\div3}=\frac{2}{3}$ → ㉠$=2$

$\frac{6}{9}=\frac{6\times4}{9\times4}=\frac{24}{36}$ → ㉡$=36$

⇨ ㉠$+$㉡$=2+36=38$

25 $\frac{9}{12}=\frac{9\div3}{12\div3}=\frac{3}{4}$ → ㉠$=3$

$\frac{9}{12}=\frac{9\times5}{12\times5}=\frac{45}{60}$ → ㉡$=60$

⇨ ㉡$-$㉠$=60-3=57$

26 $\frac{6}{15}=\frac{6\div3}{15\div3}=\frac{2}{5}$ → ㉠$=2$

$\frac{6}{15}=\frac{6\times2}{15\times2}=\frac{12}{30}$ → ㉡$=30$

$\frac{6}{15}=\frac{6\times3}{15\times3}=\frac{18}{45}$ → ㉢$=18$

⇨ ㉠$+$㉡$-$㉢$=2+30-18=14$

유형 14 • 분모와 분자를 각각 6으로 나누기 전의 분수:

$\frac{3\times6}{10\times6}=\frac{18}{60}$

• 분모와 분자에 각각 5를 더하기 전의 분수:

$\frac{18-5}{60-5}=\frac{13}{55}$

⇨ 어떤 분수는 $\frac{13}{55}$이고, 분모와 분자의 합은

$55+13=68$입니다.

27

전략 가이드

거꾸로 생각하여 처음의 분수를 구합니다.

• 분모와 분자를 각각 3으로 나누기 전의 분수:

$\frac{7\times3}{16\times3}=\frac{21}{48}$

• 분모와 분자에 각각 4를 더하기 전의 분수:

$\frac{21-4}{48-4}=\frac{17}{44}$

⇨ 어떤 분수는 $\frac{17}{44}$이고, 분모와 분자의 차는

$44-17=27$입니다.

28 $\frac{5}{7}=\frac{10}{14}=\frac{15}{21}=\frac{20}{28}=$ ……

$\frac{10}{14}=\frac{23-13}{31-17}$, $\frac{15}{21}=\frac{23-8}{31-10}$, $\frac{20}{28}=\frac{23-3}{31-3}$ ……

⇨ 분모와 분자에서 뺀 수는 3입니다.

4단원 기출 유형 정답률 55%이상

42~43쪽

유형 15 8
29 6　　　　　　　**30** 2
유형 16 3
31 5　　　　　　　**32** 11
유형 17 8
33 20　　　　　　　**34** $\dfrac{11}{15}$
유형 18 7
35 3　　　　　　　**36** $1\dfrac{3}{4}$

유형 15 분모가 15인 진분수는

$\dfrac{1}{15}$, $\dfrac{2}{15}$, $\dfrac{3}{15}$······, $\dfrac{12}{15}$, $\dfrac{13}{15}$, $\dfrac{14}{15}$입니다.

⇨ 이 중에서 기약분수는 $\dfrac{1}{15}$, $\dfrac{2}{15}$, $\dfrac{4}{15}$, $\dfrac{7}{15}$,

$\dfrac{8}{15}$, $\dfrac{11}{15}$, $\dfrac{13}{15}$, $\dfrac{14}{15}$로 모두 8개입니다.

29 분모가 18인 진분수는

$\dfrac{1}{18}$, $\dfrac{2}{18}$, $\dfrac{3}{18}$······, $\dfrac{15}{18}$, $\dfrac{16}{18}$, $\dfrac{17}{18}$입니다.

⇨ 이 중에서 기약분수는 $\dfrac{1}{18}$, $\dfrac{5}{18}$, $\dfrac{7}{18}$, $\dfrac{11}{18}$, $\dfrac{13}{18}$,

$\dfrac{17}{18}$로 모두 6개입니다.

30 분모와 분자의 합이 12인 진분수는

$\dfrac{1}{11}$, $\dfrac{2}{10}$, $\dfrac{3}{9}$, $\dfrac{4}{8}$, $\dfrac{5}{7}$입니다.

⇨ 이 중에서 기약분수는 $\dfrac{1}{11}$, $\dfrac{5}{7}$로 모두 2개입니다.

유형 16 $\dfrac{\square}{6}$와 $\dfrac{2}{3}$의 공통분모를 24로 하여 통분하면

$\dfrac{1}{24}<\dfrac{\square\times4}{24}<\dfrac{16}{24}$, 1<□×4<16이므로

□=1, 2, 3입니다.

⇨ □ 안에 들어갈 수 있는 자연수는 모두 3개입니다.

31
전략 가이드
세 분수를 통분한 다음 □ 안에 들어갈 수 있는 자연수를 찾습니다.

$\dfrac{\square}{12}$와 $\dfrac{4}{9}$의 공통분모를 36으로 하여 통분하면

$\dfrac{1}{36}<\dfrac{\square\times3}{36}<\dfrac{16}{36}$, 1<□×3<16이므로

□=1, 2, 3, 4, 5입니다.

⇨ □ 안에 들어갈 수 있는 가장 큰 자연수는 5입니다.

32 $0.5=\dfrac{5}{10}$이므로 $\dfrac{2}{5}<\dfrac{\square}{24}<\dfrac{5}{10}$이고

공통분모를 120으로 하여 통분하면

$\dfrac{2\times24}{5\times24}<\dfrac{\square\times5}{24\times5}<\dfrac{5\times12}{10\times12}$

$\rightarrow\dfrac{48}{120}<\dfrac{\square\times5}{120}<\dfrac{60}{120}$

⇨ 48<□×5<60에서 □ 안에 들어갈 수 있는 자연수는 10, 11인데 $\dfrac{10}{24}$은 기약분수가 아니므로

□ 안에 알맞은 자연수는 11입니다.

유형 17 10=2×5이므로 약분할 수 없는 분수는 분자가 2의 배수도 5의 배수도 아닌 수입니다.
즉, 홀수 중 5의 배수만 제외하면 되므로
1, 3, 7, 9, 11, 13, 17, 19입니다.

⇨ (약분할 수 없는 모든 분수들의 합)

$=\dfrac{1+3+7+9+11+13+17+19}{10}=\dfrac{80}{10}=8$

33
푸는 순서
❶ 약분이 되는 분자의 조건 알아보기
❷ 약분이 되는 분수의 개수 구하기
❸ 약분할 수 없는 분수의 개수 구하기

❶ 33=3×11이므로 분자가 3의 배수 또는 11의 배수일 때 약분이 됩니다.
❷ · 1부터 32까지의 수 중에서 3의 배수의 개수:
　　32÷3=10···2 → 10개
　· 1부터 32까지의 수 중에서 11의 배수의 개수:
　　32÷11=2···10 → 2개
　⇨ 약분이 되는 분수는 10+2=12(개)입니다.
❸ 약분할 수 없는 분수는 32−12=20(개)입니다.

34 분모가 45이므로 기약분수로 나타냈을 때 단위분수가 되는 분수는 분자가 45의 약수일 때입니다.

⇨ 분자가 1, 3, 5, 9, 15일 때 단위분수가 되므로

$\dfrac{1+3+5+9+15}{45}=\dfrac{33}{45}=\dfrac{11}{15}$입니다.

> **참고**
>
> 분자가 분모의 약수이면 약분하여 단위분수가 됩니다.

유형 18 $\dfrac{1}{4}<\dfrac{\square}{13}<\dfrac{21}{26} \rightarrow \dfrac{13}{52}<\dfrac{\square\times4}{52}<\dfrac{42}{52}$

⇨ $13<\square\times4<42$에서 □ 안에 들어갈 수 있는 수는 4부터 10까지의 수이고 $\dfrac{4}{13}, \dfrac{5}{13}, \dfrac{6}{13}, \dfrac{7}{13}, \dfrac{8}{13}, \dfrac{9}{13}, \dfrac{10}{13}$은 모두 기약분수이므로 기약분수는 모두 7개입니다.

35 $\dfrac{1}{8}<\dfrac{\square}{16}<\dfrac{17}{32} \rightarrow \dfrac{4}{32}<\dfrac{\square\times2}{32}<\dfrac{17}{32}$

⇨ $4<\square\times2<17$에서 □ 안에 들어갈 수 있는 수는 3부터 8까지의 수이고 $\dfrac{3}{16}, \dfrac{4}{16}, \dfrac{5}{16}, \dfrac{6}{16}, \dfrac{7}{16}, \dfrac{8}{16}$ 중 기약분수는 $\dfrac{3}{16}, \dfrac{5}{16}, \dfrac{7}{16}$로 모두 3개입니다.

36 $\dfrac{1}{3}<\dfrac{\square}{48}<\dfrac{13}{24} \rightarrow \dfrac{16}{48}<\dfrac{\square}{48}<\dfrac{26}{48}$이므로

□ 안에 들어갈 수 있는 수는 17부터 25까지의 수입니다.

⇨ 조건에 알맞은 분모가 48인 모든 기약분수들의 합은

$\dfrac{17}{48}+\dfrac{19}{48}+\dfrac{23}{48}+\dfrac{25}{48}$

$=\dfrac{84}{48}=\dfrac{7}{4}=1\dfrac{3}{4}$입니다.

4단원 종합

44 ~ 46쪽

1 ⑤	**2** 2
3 ④	**4** 15
5 36	**6** 3
7 3	**8** 13
9 $\dfrac{24}{54}$	**10** 26
11 12	**12** 2

2 $\dfrac{30}{42}=\dfrac{30\div6}{42\div6}=\dfrac{5}{7}$,

$\dfrac{30}{42}=\dfrac{30\div2}{42\div2}=\dfrac{15}{21}$

⇨ $\dfrac{30}{42}$과 크기가 같은 분수는 $\dfrac{5}{7}, \dfrac{15}{21}$로 모두 2개입니다.

3 공통분모가 될 수 있는 수는 10과 15의 최소공배수인 30의 배수입니다.

⇨ 30의 배수를 작은 수부터 차례로 쓰면 30, 60, 90, 120…… 이므로 공통분모가 될 수 없는 수는 ④ 100입니다.

4 한 번만 약분하여 기약분수로 나타내려면 분모와 분자를 두 수의 최대공약수로 각각 나누어야 합니다.

$\begin{array}{r} 3\,)\underline{45 \quad 15} \\ 5\,)\underline{15 \quad 5} \\ 3 \quad 1 \end{array}$ 　45와 15의 최대공약수: $3\times5=15$

5 공통분모가 될 수 있는 수 중에서 가장 작은 수는 두 분모 12와 18의 최소공배수입니다.

$\begin{array}{r} 2\,)\underline{12 \quad 18} \\ 3\,)\underline{6 \quad 9} \\ 2 \quad 3 \end{array}$ 　12와 18의 최소공배수: $2\times3\times2\times3=36$

6 $\dfrac{50}{60}$을 약분할 때 분모와 분자를 나눌 수 있는 수는 60과 50의 공약수입니다.

⇨ 60과 50의 공약수는 1, 2, 5, 10이므로 1을 제외하면 모두 3개입니다.

7 $\dfrac{30}{36}=\dfrac{30\div6}{36\div6}=\dfrac{5}{6}$, $\dfrac{30}{36}=\dfrac{30\div3}{36\div3}=\dfrac{10}{12}$,

$\dfrac{30}{36}=\dfrac{30\div2}{36\div2}=\dfrac{15}{18}$

⇨ 분모가 20보다 작은 분수는 $\dfrac{5}{6}$, $\dfrac{10}{12}$, $\dfrac{15}{18}$로 모두 3개입니다.

8 $\dfrac{\text{㉠}}{6}=\dfrac{\text{㉠}\times4}{6\times4}=\dfrac{20}{24}\rightarrow\text{㉠}\times4=20$, ㉠$=5$

$\dfrac{7}{\text{㉡}}=\dfrac{7\times3}{\text{㉡}\times3}=\dfrac{21}{24}\rightarrow\text{㉡}\times3=24$, ㉡$=8$

⇨ ㉠$+$㉡$=5+8=13$

9 약분하여 $\dfrac{4}{9}$가 되는 분수는 $\dfrac{4\times\square}{9\times\square}$입니다.

$9\times\square+4\times\square=78$

$13\times\square=78$

$\square=6$

⇨ $\dfrac{4\times6}{9\times6}=\dfrac{24}{54}$

> **다른 풀이**
>
> $\dfrac{4}{9}$의 분모와 분자의 합은 $9+4=13$이므로 78은
>
> $\dfrac{4}{9}$의 분모와 분자의 합의 $78\div13=6$(배)입니다.
>
> ⇨ $\dfrac{4\times6}{9\times6}=\dfrac{24}{54}$

10 분모에 더해야 하는 수를 $\square$라 하면

$\dfrac{8}{13}=\dfrac{8+16}{13+\square}=\dfrac{24}{13+\square}$에서 24는 8의 3배이므로

$13+\square$는 13의 3배입니다.

⇨ $13+\square=13\times3$, $13+\square=39$, $\square=26$

11 $\dfrac{5}{6}>\dfrac{\square}{15}>\dfrac{2}{5}\rightarrow\dfrac{25}{30}>\dfrac{\square\times2}{30}>\dfrac{12}{30}$

⇨ $25>\square\times2>12$에서 $\square$ 안에 들어갈 수 있는 자연수는 7, 8, 9, 10, 11, 12이므로 이 중 가장 큰 수는 12입니다.

12 $\dfrac{5}{8}<\dfrac{\square}{24}<\dfrac{11}{12}\rightarrow\dfrac{15}{24}<\dfrac{\square}{24}<\dfrac{22}{24}$

⇨ $15<\square<22$에서 $\square$ 안에 들어갈 수 있는 수는 16, 17, 18, 19, 20, 21이고 조건을 만족하는 기약분수는 $\dfrac{17}{24}$, $\dfrac{19}{24}$로 모두 2개입니다.

5단원 기출 유형 정답률 75% 이상

47~51쪽

유형 1	4	**1**	7
유형 2	5	**2**	13
유형 3	10	**3**	10
유형 4	29		
4	5	**5**	4
유형 5	③		
6	②	**7**	2
유형 6	83		
8	$\dfrac{13}{24}$	**9**	$2\dfrac{1}{12}$
유형 7	12		
10	50	**11**	16
유형 8	7		
12	$1\dfrac{17}{20}$	**13**	$\dfrac{7}{10}$
유형 9	④	**14**	$4\dfrac{7}{15}$
유형 10	13		
15	$\dfrac{1}{20}$	**16**	$\dfrac{23}{45}$
유형 11	②		
17	$3\dfrac{17}{30}$	**18**	$1\dfrac{9}{40}$

유형 1 $\dfrac{2}{3}+\dfrac{3}{5}=\dfrac{10}{15}+\dfrac{9}{15}$

$=\dfrac{19}{15}=1\dfrac{4}{15}$

⇨ $\square=4$

1 $3\dfrac{7}{8}+1\dfrac{3}{10}=3\dfrac{35}{40}+1\dfrac{12}{40}$

$=4\dfrac{47}{40}=5\dfrac{7}{40}$

⇨ $\square=7$

유형 2 $4\dfrac{1}{6}-3\dfrac{3}{4}=4\dfrac{2}{12}-3\dfrac{9}{12}$

$=3\dfrac{14}{12}-3\dfrac{9}{12}=\dfrac{5}{12}$

⇨ $\dfrac{5}{12}$는 $\dfrac{1}{12}$이 5개인 수입니다.

> **참고**
>
> $\dfrac{\blacktriangle}{\blacksquare}$는 $\dfrac{1}{\blacksquare}$이 ▲개인 수입니다.

2 $\dfrac{11}{15} - \dfrac{4}{9} = \dfrac{33}{45} - \dfrac{20}{45} = \dfrac{13}{45}$

$\Rightarrow \dfrac{13}{45}$ 은 $\dfrac{1}{45}$ 이 13개인 수입니다.

유형 3 (삼각형의 세 변의 길이의 합)

$= 2\dfrac{3}{8} + 3\dfrac{2}{5} + 4\dfrac{9}{40}$

$= 2\dfrac{15}{40} + 3\dfrac{16}{40} + 4\dfrac{9}{40}$

$= 9\dfrac{40}{40} = 10 \text{ (cm)}$

3 이등변삼각형은 두 변의 길이가 같습니다.

$\Rightarrow$ (삼각형의 세 변의 길이의 합)

$= 2\dfrac{7}{10} + 2\dfrac{7}{10} + 4\dfrac{3}{5}$

$= 4\dfrac{14}{10} + 4\dfrac{6}{10}$

$= 8\dfrac{20}{10} = 10 \text{ (cm)}$

유형 4 $\dfrac{5}{9} + \dfrac{2}{3} - \dfrac{5}{12} = \dfrac{5}{9} + \dfrac{6}{9} - \dfrac{5}{12}$

$\qquad\qquad\qquad = \dfrac{11}{9} - \dfrac{5}{12}$

$\qquad\qquad\qquad = \dfrac{44}{36} - \dfrac{15}{36} = \dfrac{29}{36}$

$\Rightarrow \bigcirc = 29$

4 $\dfrac{7}{8} - \dfrac{2}{5} + \dfrac{3}{20} = \dfrac{35}{40} - \dfrac{16}{40} + \dfrac{3}{20}$

$\qquad\qquad\qquad = \dfrac{19}{40} + \dfrac{6}{40} = \dfrac{25}{40} = \dfrac{5}{8}$

$\Rightarrow \bigcirc = 5$

5 $\text{㉮} - \text{㉰} + \text{㉯}$

$= 2\dfrac{3}{4} - \dfrac{1}{6} + 1\dfrac{5}{12}$

$= 2\dfrac{9}{12} - \dfrac{2}{12} + 1\dfrac{5}{12}$

$= 2\dfrac{7}{12} + 1\dfrac{5}{12} = 3\dfrac{12}{12} = 4$

유형 5 ① $\dfrac{3}{4} + \dfrac{1}{10} = \dfrac{15}{20} + \dfrac{2}{20} = \dfrac{17}{20}$

② $\dfrac{1}{6} + \dfrac{4}{9} = \dfrac{3}{18} + \dfrac{8}{18} = \dfrac{11}{18}$

③ $\dfrac{3}{8} + \dfrac{3}{4} = \dfrac{3}{8} + \dfrac{6}{8} = \dfrac{9}{8} = 1\dfrac{1}{8}$

④ $\dfrac{2}{9} + \dfrac{5}{12} = \dfrac{8}{36} + \dfrac{15}{36} = \dfrac{23}{36}$

⑤ $\dfrac{4}{7} + \dfrac{1}{9} = \dfrac{36}{63} + \dfrac{7}{63} = \dfrac{43}{63}$

$\Rightarrow$ 계산 결과가 1보다 큰 것은 ③입니다.

6 ① $\dfrac{2}{3} + \dfrac{1}{5} = \dfrac{10}{15} + \dfrac{3}{15} = \dfrac{13}{15}$

② $\dfrac{2}{9} + \dfrac{4}{5} = \dfrac{10}{45} + \dfrac{36}{45} = \dfrac{46}{45} = 1\dfrac{1}{45}$

③ $\dfrac{2}{15} + \dfrac{7}{10} = \dfrac{4}{30} + \dfrac{21}{30} = \dfrac{25}{30} = \dfrac{5}{6}$

④ $\dfrac{1}{3} + \dfrac{3}{8} = \dfrac{8}{24} + \dfrac{9}{24} = \dfrac{17}{24}$

⑤ $\dfrac{1}{8} + \dfrac{3}{10} = \dfrac{5}{40} + \dfrac{12}{40} = \dfrac{17}{40}$

$\Rightarrow$ 계산 결과가 1보다 큰 것은 ②입니다.

7 ㉠ $\dfrac{1}{3} + \dfrac{2}{9} = \dfrac{3}{9} + \dfrac{2}{9} = \dfrac{5}{9}$

㉡ $\dfrac{1}{4} + \dfrac{6}{7} = \dfrac{7}{28} + \dfrac{24}{28} = \dfrac{31}{28} = 1\dfrac{3}{28}$

㉢ $\dfrac{3}{10} + \dfrac{5}{8} = \dfrac{12}{40} + \dfrac{25}{40} = \dfrac{37}{40}$

㉣ $\dfrac{3}{8} + \dfrac{11}{12} = \dfrac{9}{24} + \dfrac{22}{24} = \dfrac{31}{24} = 1\dfrac{7}{24}$

$\Rightarrow$ 계산 결과가 1보다 큰 식은 ㉡, ㉣로 모두 2개입니다.

유형 6 $\dfrac{7}{20} + \square = \dfrac{11}{15}$,

$\square = \dfrac{11}{15} - \dfrac{7}{20} = \dfrac{44}{60} - \dfrac{21}{60} = \dfrac{23}{60}$

$\Rightarrow \dfrac{\bigcirc}{\bigcirc} = \dfrac{23}{60}$ 이므로

$\bigcirc + \bigcirc = 60 + 23 = 83$입니다.

> **참고**
>
> 덧셈과 뺄셈의 관계를 이용합니다.
>
> $\blacktriangle + \blacksquare = \bullet \Rightarrow \blacksquare = \bullet - \blacktriangle$

8 $\square + 2\frac{5}{6} = 3\frac{3}{8}$

$\Rightarrow \square = 3\frac{3}{8} - 2\frac{5}{6} = 3\frac{9}{24} - 2\frac{20}{24}$

$= 2\frac{33}{24} - 2\frac{20}{24} = \frac{13}{24}$

9 $\square - \frac{3}{4} - \frac{1}{2} = \frac{5}{6}$

$\Rightarrow \square = \frac{5}{6} + \frac{1}{2} + \frac{3}{4}$

$= \frac{10}{12} + \frac{6}{12} + \frac{9}{12}$

$= \frac{25}{12} = 2\frac{1}{12}$

유형 7 • $3\frac{1}{4} + 1\frac{2}{3} = 3\frac{3}{12} + 1\frac{8}{12} = 4\frac{11}{12}$

$\rightarrow \bigcirc = 11$

• $5\frac{8}{9} - 1\frac{5}{6} = 5\frac{16}{18} - 1\frac{15}{18} = 4\frac{1}{18}$

$\rightarrow \bigcirc = 1$

$\Rightarrow \bigcirc + \bigcirc = 11 + 1 = 12$

10 • $2\frac{2}{5} + 1\frac{1}{2} = 2\frac{4}{10} + 1\frac{5}{10} = 3\frac{9}{10}$

$\rightarrow \bigcirc = 9$

• $6\frac{3}{8} - 2\frac{9}{14} = 6\frac{21}{56} - 2\frac{36}{56}$

$= 5\frac{77}{56} - 2\frac{36}{56} = 3\frac{41}{56}$

$\rightarrow \bigcirc = 41$

$\Rightarrow \bigcirc + \bigcirc = 9 + 41 = 50$

11 • $\frac{2}{3} + \frac{4}{9} + \frac{5}{6} = \frac{12}{18} + \frac{8}{18} + \frac{15}{18}$

$= \frac{35}{18} = 1\frac{17}{18}$

$\rightarrow \bigcirc = 17$

• $\frac{14}{15} - \frac{2}{5} - \frac{1}{3} = \frac{14}{15} - \frac{6}{15} - \frac{5}{15}$

$= \frac{3}{15} = \frac{1}{5}$

$\rightarrow \bigcirc = 1$

$\Rightarrow \bigcirc - \bigcirc = 17 - 1 = 16$

유형 8 $\bullet \frac{\bigstar}{12} = \square$ 라 하면 $1\frac{7}{8} + \square = 4\frac{11}{24}$이므로

$\square = 4\frac{11}{24} - 1\frac{7}{8} = 4\frac{11}{24} - 1\frac{21}{24}$

$= 3\frac{35}{24} - 1\frac{21}{24} = 2\frac{14}{24} = 2\frac{7}{12}$

$\Rightarrow \bullet \frac{\bigstar}{12} = 2\frac{7}{12}$이므로 $\bigstar = 7$입니다.

12 $3\frac{3}{4} - \square = 1\frac{9}{10}$

$\Rightarrow \square = 3\frac{3}{4} - 1\frac{9}{10} = 3\frac{15}{20} - 1\frac{18}{20}$

$= 2\frac{35}{20} - 1\frac{18}{20} = 1\frac{17}{20}$

13 $\frac{3}{5} + \frac{1}{2} + \square = 1\frac{4}{5}$

$\frac{6}{10} + \frac{5}{10} + \square = 1\frac{4}{5}$

$1\frac{1}{10} + \square = 1\frac{4}{5}$

$\square = 1\frac{4}{5} - 1\frac{1}{10}$

$= 1\frac{8}{10} - 1\frac{1}{10} = \frac{7}{10}$

유형 9 (이어 붙인 색 테이프 전체의 길이)

$=$ (색 테이프 2장의 길이의 합)

$-$ (겹쳐진 부분의 길이)

$= 1\frac{3}{8} + 1\frac{3}{8} - \frac{5}{12} = 2\frac{3}{4} - \frac{5}{12}$

$= 2\frac{9}{12} - \frac{5}{12} = 2\frac{4}{12} = 2\frac{1}{3}$ (m)

14 (이어 붙인 색 테이프 전체의 길이)

$=$ (색 테이프 2장의 길이의 합)

$-$ (겹쳐진 부분의 길이)

$= 2\frac{8}{15} + 2\frac{8}{15} - \frac{3}{5} = 4\frac{16}{15} - \frac{9}{15} = 4\frac{7}{15}$ (m)

유형 10 $\frac{7}{8} = \frac{21}{24}$, $\frac{1}{6} = \frac{4}{24}$, $\frac{1}{4} = \frac{6}{24}$이고

$\frac{21}{24} > \frac{6}{24} > \frac{4}{24}$이므로 $\frac{7}{8} > \frac{1}{4} > \frac{1}{6}$입니다.

$\Rightarrow \frac{7}{8} - \frac{1}{4} - \frac{1}{6} = \frac{21}{24} - \frac{6}{24} - \frac{4}{24} = \frac{11}{24}$이므로

분모와 분자의 차는 $24 - 11 = 13$입니다.

15
푸는 순서
❶ 세 분수의 크기 비교하기
❷ 가장 큰 분수에서 나머지 두 분수를 뺀 값 구하기

❶ $\frac{1}{4}=\frac{5}{20}$, $\frac{3}{5}=\frac{12}{20}$, $\frac{3}{10}=\frac{6}{20}$이고

$\frac{12}{20}>\frac{6}{20}>\frac{5}{20}$이므로 $\frac{3}{5}>\frac{3}{10}>\frac{1}{4}$입니다.

❷ $\frac{3}{5}-\frac{3}{10}-\frac{1}{4}=\frac{12}{20}-\frac{6}{20}-\frac{5}{20}$

$\qquad\qquad\qquad =\frac{1}{20}$

16 $\frac{2}{3}=\frac{30}{45}$, $\frac{4}{9}=\frac{20}{45}$, $\frac{3}{5}=\frac{27}{45}$이고

$\frac{30}{45}>\frac{27}{45}>\frac{20}{45}$이므로 $\frac{2}{3}>\frac{3}{5}>\frac{4}{9}$입니다.

$\Rightarrow \frac{2}{3}+\frac{4}{9}-\frac{3}{5}=\frac{30}{45}+\frac{20}{45}-\frac{27}{45}$

$\qquad\qquad\qquad\quad =\frac{23}{45}$

유형 11 가장 큰 대분수: $4\frac{1}{3}$,
↳ 가장 큰 수를 놓습니다.

가장 작은 대분수: $1\frac{3}{4}$
↳ 가장 작은 수를 놓습니다.

$\Rightarrow 4\frac{1}{3}+1\frac{3}{4}=4\frac{4}{12}+1\frac{9}{12}$

$\qquad\qquad\qquad =5\frac{13}{12}=6\frac{1}{12}$

17 가장 큰 대분수: $6\frac{2}{5}$,

가장 작은 대분수: $2\frac{5}{6}$

$\Rightarrow 6\frac{2}{5}-2\frac{5}{6}=6\frac{12}{30}-2\frac{25}{30}$

$\qquad\qquad\qquad =5\frac{42}{30}-2\frac{25}{30}=3\frac{17}{30}$

18 만들 수 있는 진분수: $\frac{3}{5}$, $\frac{3}{8}$, $\frac{5}{8}$

$\frac{5}{8}>\frac{3}{5}>\frac{3}{8}$이므로 만든 두 진분수의 합이 가장 클

때 그 합은

$\frac{5}{8}+\frac{3}{5}=\frac{25}{40}+\frac{24}{40}=\frac{49}{40}=1\frac{9}{40}$입니다.

5단원 기출 유형 정답률 55%이상

52~53쪽

유형 12 28			
19 23		**20** 2, 3	
유형 13 3			
21 4		**22** 3	
유형 14 3		**23** 6	
유형 15 8			
24 5		**25** 2	

유형 12 $\frac{1}{6}+\frac{3}{10}=\frac{10}{60}+\frac{18}{60}$

$\qquad\qquad\quad =\frac{28}{60}$ (시간)

$\Rightarrow \frac{28}{60}$시간=28분

참고
1시간=60분이므로 $\frac{■}{60}$시간=■분입니다.

19 $\frac{4}{5}\left(=\frac{48}{60}\right)>\frac{5}{12}\left(=\frac{25}{60}\right)$이므로

$\frac{4}{5}-\frac{5}{12}=\frac{48}{60}-\frac{25}{60}$

$\qquad\qquad =\frac{23}{60}$ (시간)

$\Rightarrow \frac{23}{60}$시간=23분

20
푸는 순서
❶ 10분을 분수를 이용하여 시간으로 나타내기
❷ 재한이가 할머니 댁까지 가는 데 걸린 시간 구하기
❸ 걸린 시간을 몇 시간 몇 분으로 나타내기

❶ 10분=$\frac{10}{60}$시간

❷ (재한이가 할머니 댁까지 가는 데 걸린 시간)

$=1\frac{3}{10}+\frac{7}{12}+\frac{10}{60}$

$=1\frac{18}{60}+\frac{35}{60}+\frac{10}{60}$

$=1\frac{63}{60}=2\frac{3}{60}$ (시간)

❸ $2\frac{3}{60}$시간=2시간$+\frac{3}{60}$시간

$\qquad\qquad\quad =2$시간 3분

유형 13 $2\frac{4}{5}+1\frac{3}{7}=2\frac{28}{35}+1\frac{15}{35}$

$\qquad\qquad =3\frac{43}{35}=4\frac{8}{35}$

$10\frac{1}{4}-2\frac{5}{6}=10\frac{3}{12}-2\frac{10}{12}$

$\qquad\qquad =9\frac{15}{12}-2\frac{10}{12}=7\frac{5}{12}$

➡ $4\frac{8}{35}<\square<7\frac{5}{12}$에서 □ 안에 들어갈 수 있는
자연수는 5, 6, 7로 모두 3개입니다.

21 $3\frac{7}{8}+2\frac{9}{10}=3\frac{35}{40}+2\frac{36}{40}$

$\qquad\qquad =5\frac{71}{40}=6\frac{31}{40}$

$12\frac{2}{9}-1\frac{11}{15}=12\frac{10}{45}-1\frac{33}{45}$

$\qquad\qquad =11\frac{55}{45}-1\frac{33}{45}=10\frac{22}{45}$

➡ $6\frac{31}{40}<\square<10\frac{22}{45}$에서 □ 안에 들어갈 수 있는
자연수는 7, 8, 9, 10으로 모두 4개입니다.

22 $4\frac{3}{4}-\frac{1}{2}-\frac{2}{3}=3\frac{21}{12}-\frac{6}{12}-\frac{8}{12}$

$\qquad\qquad =3\frac{7}{12}$

$2\frac{3}{8}+4\frac{1}{6}=2\frac{9}{24}+4\frac{4}{24}$

$\qquad\qquad =6\frac{13}{24}$

➡ $3\frac{7}{12}<\square<6\frac{13}{24}$에서 □ 안에 들어갈 수 있는
자연수는 4, 5, 6으로 모두 3개입니다.

유형 14 하루 동안 가은이와 재혁이가 함께 할 수 있는 일
의 양은 전체의

$\frac{1}{4}+\frac{1}{12}=\frac{3}{12}+\frac{1}{12}$

$\qquad\quad =\frac{4}{12}=\frac{1}{3}$

입니다.

➡ 두 사람이 함께 일을 하면 하루 동안 전체의 $\frac{1}{3}$을
할 수 있으므로 일을 모두 끝내는 데 3일이 걸립
니다.

23
❶ 하루 동안 두 사람이 함께 할 수 있는 일의 양 구하기
❷ 일을 모두 끝내는 데 걸리는 시간 구하기

❶ 하루 동안 해영이와 수현이가 함께 할 수 있는 일
의 양은 전체의

$\frac{1}{9}+\frac{1}{18}=\frac{2}{18}+\frac{1}{18}$

$\qquad\quad =\frac{3}{18}=\frac{1}{6}$

입니다.

❷ 두 사람이 함께 일을 하면 하루 동안 전체의 $\frac{1}{6}$을
할 수 있으므로 일을 모두 끝내는 데 6일이 걸
립니다.

유형 15 $\frac{9}{20}+\frac{\square}{16}=\frac{36}{80}+\frac{\square\times5}{80}$

$\qquad\qquad =\frac{36+\square\times5}{80}<\frac{80}{80},$

$36+\square\times5<80,\ \square\times5<44$

➡ □ 안에 들어갈 수 있는 자연수는
1, 2, 3, 4, 5, 6, 7, 8로 모두 8개입니다.

24 $\frac{5}{12}+\frac{\square}{9}=\frac{15}{36}+\frac{\square\times4}{36}$

$\qquad\qquad =\frac{15+\square\times4}{36}<\frac{36}{36},$

$15+\square\times4<36,\ \square\times4<21$

➡ □ 안에 들어갈 수 있는 자연수는
1, 2, 3, 4, 5로 모두 5개입니다.

25
분모를 통분하여 분자의 크기를 비교합니다.

$\frac{2}{3}<\frac{5}{9}+\frac{\square}{6}<1,$

$\frac{12}{18}<\frac{10}{18}+\frac{\square\times3}{18}<\frac{18}{18}$

➡ $12<10+\square\times3<18$에서 □ 안에 들어갈 수 있
는 자연수는 1, 2로 모두 2개입니다.

5단원 종합

54~56쪽

1 11	**2** 13
3 $4\dfrac{11}{30}$	**4** ④
5 $1\dfrac{19}{28}$	**6** 3
7 $1\dfrac{11}{36}$	**8** $\dfrac{2}{15}$
9 $\dfrac{7}{10}$	**10** 2
11 $3\dfrac{2}{15}$	**12** 2

1 $2\dfrac{4}{5}-1\dfrac{1}{4}=2\dfrac{16}{20}-1\dfrac{5}{20}$

$\qquad\qquad\qquad =1\dfrac{11}{20}$

$\Rightarrow \ominus=11$

2 $\dfrac{1}{6}+\dfrac{3}{8}=\dfrac{4}{24}+\dfrac{9}{24}$

$\qquad\quad =\dfrac{13}{24}$

$\Rightarrow \dfrac{13}{24}$ 은 $\dfrac{1}{24}$ 이 13개인 수입니다.

3 (가로)+(세로)$=2\dfrac{5}{6}+1\dfrac{8}{15}$

$\qquad\qquad\qquad =2\dfrac{25}{30}+1\dfrac{16}{30}$

$\qquad\qquad\qquad =3\dfrac{41}{30}=4\dfrac{11}{30}$ (cm)

4 ① $\dfrac{1}{4}+\dfrac{5}{12}=\dfrac{3}{12}+\dfrac{5}{12}=\dfrac{8}{12}=\dfrac{2}{3}$

② $\dfrac{5}{8}+\dfrac{1}{6}=\dfrac{15}{24}+\dfrac{4}{24}=\dfrac{19}{24}$

③ $\dfrac{2}{3}+\dfrac{2}{9}=\dfrac{6}{9}+\dfrac{2}{9}=\dfrac{8}{9}$

④ $\dfrac{1}{2}+\dfrac{3}{5}=\dfrac{5}{10}+\dfrac{6}{10}=\dfrac{11}{10}=1\dfrac{1}{10}$

⑤ $\dfrac{3}{4}+\dfrac{1}{8}=\dfrac{6}{8}+\dfrac{1}{8}=\dfrac{7}{8}$

$\Rightarrow$ 계산 결과가 1보다 큰 것은 ④입니다.

5 (㉠에서 ㉡까지의 거리)

$=4\dfrac{1}{4}-2\dfrac{4}{7}=4\dfrac{7}{28}-2\dfrac{16}{28}$

$=3\dfrac{35}{28}-2\dfrac{16}{28}=1\dfrac{19}{28}$ (m)

6 $\ominus=5\dfrac{3}{4}-3\dfrac{2}{3}+\dfrac{11}{12}$

$\quad =5\dfrac{9}{12}-3\dfrac{8}{12}+\dfrac{11}{12}$

$\quad =2\dfrac{1}{12}+\dfrac{11}{12}=2\dfrac{12}{12}=3$

7 $\square-\dfrac{8}{9}=\dfrac{5}{12}$

$\Rightarrow \square=\dfrac{5}{12}+\dfrac{8}{9}=\dfrac{15}{36}+\dfrac{32}{36}$

$\qquad\quad =\dfrac{47}{36}=1\dfrac{11}{36}$

> **참고**
> 덧셈과 뺄셈의 관계를 이용합니다.
> ■-●=▲ $\Rightarrow$ ■=▲+●

8 $\dfrac{2}{5}=\dfrac{6}{15}$, $\dfrac{1}{3}=\dfrac{5}{15}$ 이고

$\dfrac{13}{15}>\dfrac{6}{15}>\dfrac{5}{15}$ 이므로 $\dfrac{13}{15}>\dfrac{2}{5}>\dfrac{1}{3}$ 입니다.

$\Rightarrow \dfrac{13}{15}-\dfrac{2}{5}-\dfrac{1}{3}$

$\quad =\dfrac{13}{15}-\dfrac{6}{15}-\dfrac{5}{15}=\dfrac{2}{15}$

9 (겹친 부분의 길이)

$=$(색 테이프 2장의 길이의 합)

$\quad -$(이어 붙인 색 테이프 전체의 길이)

$=1\dfrac{3}{5}+1\dfrac{3}{5}-2\dfrac{1}{2}$

$=2\dfrac{6}{5}-2\dfrac{1}{2}$

$=2\dfrac{12}{10}-2\dfrac{5}{10}=\dfrac{7}{10}$ (m)

10 $4\dfrac{3}{8}+1\dfrac{5}{6}=4\dfrac{9}{24}+1\dfrac{20}{24}$

$\qquad\qquad =5\dfrac{29}{24}=6\dfrac{5}{24}$

⇨ $6\dfrac{5}{24}<\square<9$에서 □ 안에 들어갈 수 있는 자연

수는 7, 8로 모두 2개입니다.

11 가장 큰 대분수: $6\dfrac{4}{5}$,

가장 작은 대분수: $3\dfrac{4}{6}$

⇨ $6\dfrac{4}{5}-3\dfrac{4}{6}=6\dfrac{24}{30}-3\dfrac{20}{30}$

$\qquad\qquad =3\dfrac{4}{30}=3\dfrac{2}{15}$

> 참고
>
> [수 카드로 대분수 만드는 방법]
> • 가장 큰 대분수
> 자연수 부분에 가장 큰 수를 놓고 나머지 수로 진분수를 만듭니다.
> • 가장 작은 대분수
> 자연수 부분에 가장 작은 수를 놓고 나머지 수로 진분수를 만듭니다.

12 하루 동안 연우와 민재가 함께 할 수 있는 일의 양은 전체의

$\dfrac{1}{3}+\dfrac{1}{6}=\dfrac{2}{6}+\dfrac{1}{6}$

$\qquad\qquad =\dfrac{3}{6}=\dfrac{1}{2}$

입니다.

⇨ 두 사람이 함께 일을 하면 하루 동안 전체의 $\dfrac{1}{2}$을 할 수 있으므로 일을 모두 끝내는 데 2일이 걸립니다.

> 참고
>
> 하루 동안 전체 일의 $\dfrac{1}{■}$을 하면 일을 모두 끝내는 데 ■일이 걸립니다.

실전 모의고사 1회

57~62쪽

1 5		**2** 11	
3 36		**4** 9	
5 630		**6** ④	
7 34		**8** 1	
9 6		**10** ⑤	
11 50		**12** 7	
13 9		**14** 420	
15 4		**16** 6	
17 20		**18** 75	
19 24		**20** 115	
21 800		**22** 4	
23 1		**24** 12	
25 2			

1 $\dfrac{36}{45}=\dfrac{36\div9}{45\div9}=\dfrac{4}{5}$ ⇨ ㉠=5

2 $\dfrac{5}{6}+\dfrac{3}{7}=\dfrac{35}{42}+\dfrac{18}{42}=\dfrac{53}{42}=1\dfrac{11}{42}$ ⇨ □=11

3

```
2) 36  108
2) 18   54
3)  9   27
3)  3    9
    1    3
```
36과 108의 최대공약수:
$2\times2\times3\times3=36$

4 한 번만 약분하여 기약분수로 나타내려면 분모와 분자의 최대공약수로 각각 나누어야 합니다.

```
3) 63  18
3) 21   6
    7   2
```
63과 18의 최대공약수:
$3\times3=9$

5 가=$3\times3\times5$
나=$2\times3\times7$
⇨ 가와 나의 최소공배수: $3\times3\times5\times2\times7=630$

6 ① $1\dfrac{1}{4}=1\dfrac{1\times25}{4\times25}=1\dfrac{25}{100}=1.25$

④ $1\dfrac{1}{2}=1\dfrac{1\times5}{2\times5}=1\dfrac{5}{10}=1.5$

⇨ $\underset{④}{1\dfrac{1}{2}}>\underset{③}{1.3}>\underset{①}{1\dfrac{1}{4}}>\underset{②}{1.08}>\underset{⑤}{0.9}$

7

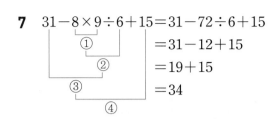

$$31-8\times9\div6+15=31-72\div6+15$$
$$=31-12+15$$
$$=19+15$$
$$=34$$

8 $\dfrac{7}{8}+\dfrac{9}{10}-\dfrac{13}{20}=\dfrac{35}{40}+\dfrac{36}{40}-\dfrac{26}{40}$

$$=\dfrac{45}{40}=\dfrac{9}{8}=1\dfrac{1}{8}$$

⇨ □＝1

9 $\dfrac{2}{3}=\dfrac{30}{45}$, $\dfrac{5}{9}=\dfrac{25}{45}$, $\dfrac{7}{15}=\dfrac{21}{45}$ → $\dfrac{2}{3}>\dfrac{5}{9}>\dfrac{7}{15}$

(가장 큰 분수와 가장 작은 분수의 차)

$$=\dfrac{2}{3}-\dfrac{7}{15}=\dfrac{10}{15}-\dfrac{7}{15}=\dfrac{3}{15}=\dfrac{1}{5}$$

⇨ $\dfrac{1}{5}$에서 분모와 분자의 합은 5＋1＝6입니다.

10 학생의 수는 모둠의 수의 5배입니다.

11 $\dfrac{2}{3}+\dfrac{1}{6}=\dfrac{40}{60}+\dfrac{10}{60}=\dfrac{50}{60}$ (시간)

⇨ $\dfrac{50}{60}$시간＝50분

> **참고**
>
> 1시간＝60분이므로 $\dfrac{■}{60}$시간＝■분입니다.

12 24가 □의 배수이면 □는 24의 약수입니다.

⇨ 24의 약수는 1, 2, 3, 4, 6, 8, 12, 24이므로
□ 안에 들어갈 수 있는 1보다 큰 자연수는 모두
7개입니다.

13 $70-8\times(\square-5)+7=45$
$$70-8\times(\square-5)=38$$
$$8\times(\square-5)=32$$
$$\square-5=4$$
$$\square=9$$

14 토성과 천왕성의 공전 주기의 최소공배수를 구합니다.

$\begin{array}{r}2)\underline{30\quad84}\\3)\underline{15\quad42}\\5\quad14\end{array}$ 30과 84의 최소공배수:
$2\times3\times5\times14=420$

⇨ 다시 같은 자리에서 일직선을 이루는 때는 최소
420년 후입니다.

15 $\dfrac{\square}{12}$와 $\dfrac{3}{8}$의 공통분모를 48로 하여 통분하면

$$\dfrac{1}{48}<\dfrac{\square\times4}{48}<\dfrac{18}{48},\ 1<\square\times4<18$$

⇨ □ 안에 들어갈 수 있는 자연수는 1, 2, 3, 4로
모두 4개입니다.

16 3으로도 나누어떨어지고, 5로도 나누어떨어지는 수
는 3과 5의 공배수입니다. 3과 5의 최소공배수는 15
이므로 1부터 100까지의 수 중에서 15의 배수는
15, 30, 45, 60, 75, 90으로 모두 6개입니다.

17 $\dfrac{5}{9}=\dfrac{10}{18}=\dfrac{15}{27}=\dfrac{20}{36}=\dfrac{25}{45}=\cdots$이고

$9+36=45$이므로 만들려는 분수는 $\dfrac{25}{45}$입니다.

⇨ 분자에 더해야 하는 수를 □라 하면

$\dfrac{5+\square}{9+36}=\dfrac{25}{45}$에서 $5+\square=25$, $\square=20$이므로

분자에 20을 더해야 합니다.

18 어제 입장한 사람 수를 □명이라고 하면
(어제 입장료의 수입)＝4000×□,
(오늘 입장료의 수입)＝3600×(□＋80)입니다.
$$4000\times\square+258000=3600\times(\square+80)$$
$$4000\times\square+258000=3600\times\square+288000$$
$$400\times\square=30000$$
$$\square=75$$

⇨ 어제 입장한 사람은 75명입니다.

19

탁자의 수(개)	1	2	3	4	……
사람의 수(명)	6	8	10	12	……

⇨ (탁자의 수)×2＋4＝(사람의 수)이므로
탁자 10개를 한 줄로 이어 붙이면
$10\times2+4=24$(명)까지 앉을 수 있습니다.

20 어떤 수는 8로 나누어떨어지기에 5가 모자라고,
12로 나누어떨어지기에 5가 모자랍니다.
어떤 수를 □라 하면 (□＋5)는 8과 12로 나누어떨
어지므로 □＋5가 될 수 있는 수는 8과 12의 공배
수입니다.

⇨ □＋5는 24, 48, 72, 96, 120……이므로 □는
19, 43, 67, 91, 115……이고 이 중에서 가장 작
은 세 자리 수는 115입니다.

21

푸는 순서

❶ 귤 $\dfrac{1}{4}$의 무게 구하기

❷ 빈 상자의 무게 구하기

❸ 빈 상자의 무게를 g으로 나타내기

❶ (귤 $\dfrac{1}{4}$의 무게)

$$=13\dfrac{4}{5}-10\dfrac{11}{20}=13\dfrac{16}{20}-10\dfrac{11}{20}$$

$$=3\dfrac{5}{20}=3\dfrac{1}{4}\,(\text{kg})$$

❷ (빈 상자의 무게)

$$=(\text{귤 }\dfrac{3}{4}\text{이 든 상자의 무게})-(\text{귤 }\dfrac{3}{4}\text{의 무게})$$

$$=10\dfrac{11}{20}-\left(3\dfrac{1}{4}+3\dfrac{1}{4}+3\dfrac{1}{4}\right)$$

$$=10\dfrac{11}{20}-9\dfrac{3}{4}=10\dfrac{11}{20}-9\dfrac{15}{20}$$

$$=9\dfrac{31}{20}-9\dfrac{15}{20}=\dfrac{16}{20}=\dfrac{4}{5}\,(\text{kg})$$

❸ $\dfrac{4}{5}$ kg$=\dfrac{800}{1000}$ kg이므로 빈 상자의 무게는 800 g입니다.

22 은탁이가 하루 동안 하는 일의 양: 전체의 $\dfrac{1}{5}$

동욱이가 하루 동안 하는 일의 양: 전체의 $\dfrac{1}{20}$

두 사람이 함께 하루 동안 할 수 있는 일의 양은 전체의

$$\dfrac{1}{5}+\dfrac{1}{20}=\dfrac{4}{20}+\dfrac{1}{20}$$

$$=\dfrac{5}{20}=\dfrac{1}{4}$$

입니다.

⇨ 두 사람이 함께 일을 하면 하루 동안 전체의 $\dfrac{1}{4}$을 할 수 있으므로 일을 모두 끝내는 데 4일이 걸립니다.

23 $\dfrac{1}{2}=\dfrac{2}{4}=\dfrac{3}{6}=\dfrac{4}{8}=\dfrac{5}{10}=\dfrac{6}{12}=\dfrac{7}{14}=\cdots\cdots$

$\dfrac{1}{3}=\dfrac{2}{6}=\dfrac{3}{9}=\dfrac{4}{12}=\dfrac{5}{15}=\dfrac{6}{18}=\dfrac{7}{21}=\cdots\cdots$

분자가 같고 분모가 (㉠+15)−(㉠+8)=7 차이가 나는 두 분수를 찾으면 $\dfrac{7}{14}$과 $\dfrac{7}{21}$입니다.

⇨ $\dfrac{㉡}{㉠+8}=\dfrac{7}{14}$에서 ㉠=6, ㉡=7이므로

㉡−㉠=7−6=1입니다.

24 모양에서 찾을 수 있는 크고 작은 정사각형의 수를 구하고 규칙을 찾아봅니다.

첫째   둘째   셋째   넷째

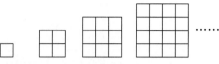

첫째: 1개

둘째: $1+2\times2=5$(개)

셋째: $1+2\times2+3\times3=14$(개)

넷째: $1+2\times2+3\times3+4\times4=30$(개)

$\vdots$

규칙에 따라 크고 작은 정사각형이 650개인 모양이 몇 째인지 알아보면

$650=1+2\times2+3\times3+4\times4+\cdots\cdots$
$\qquad\quad+10\times10+11\times11+12\times12$

이므로 찾을 수 있는 크고 작은 정사각형이 650개인 모양은 12째 모양입니다.

25 분모가 48인 진분수 중에서 약분하여 5개의 분수로 나타낼 수 있는 것은 분모 48과 분자의 공약수가 6개일 때입니다.

48의 약수: 1, 2, 3, 4, 6, 8, 12, 16, 24, 48

이 중에서 약수가 6개인 수는 12이므로 분자는 분모 48과 최대공약수가 12이면서 48보다 작은 수입니다.

$$\begin{array}{r} 12\,\overline{)\,48}\quad(\text{분자}) \\ \ \ 4\qquad\blacktriangle \end{array}$$

$\blacktriangle=1$이면 (분자)$=12\times1=12\rightarrow\dfrac{12}{48}$ (○)

$\blacktriangle=2$이면 (분자)$=12\times2=24\rightarrow\dfrac{24}{48}$ (✕)

(분모와 분자의 최대공약수가 12가 아닙니다.)

$\blacktriangle=3$이면 (분자)$=12\times3=36\rightarrow\dfrac{36}{48}$ (○)

⇨ 분모가 48인 진분수 중에서 약분하여 5개의 분수로만 나타낼 수 있는 수는 $\dfrac{12}{48}$, $\dfrac{36}{48}$으로 모두 2개입니다.

63~68쪽

1 ②	**2** 4
3 ④	**4** 105
5 23	**6** 34
7 4	**8** 13
9 36	**10** 4
11 70	**12** 56
13 16	**14** 8
15 9	**16** 12
17 4	**18** 2
19 43	**20** 6
21 14	**22** 25
23 18	**24** 16
25 11	

1 ( )가 있는 식에서는 ( ) 안을 먼저 계산합니다.

2 크기가 같은 분수를 만들려면 분모와 분자를 각각 0이 아닌 같은 수로 나누어야 합니다.
⇨ 분모를 4로 나누었으므로 ㉠=4입니다.

3 12의 약수: 1, 2, 3, 4, 6, 12

4 $126 \div 6 = 21$이므로 $\dfrac{5}{6}$의 분모와 분자에 각각 21을 곱합니다.
$$\frac{5}{6} = \frac{5 \times 21}{6 \times 21} = \frac{105}{126}$$
⇨ □=105

5 $\dfrac{9}{8} - \dfrac{11}{20} = \dfrac{45}{40} - \dfrac{22}{40} = \dfrac{23}{40}$
⇨ $\dfrac{23}{40}$은 $\dfrac{1}{40}$이 23개인 수입니다.

6 $15 + 8 \times 4 - 13 = 34$

$15 + 8 \times 4 - 13 = 34$
- 32
- 47
- 34

7 분모가 12인 진분수는 $\dfrac{1}{12}, \dfrac{2}{12}, \dfrac{3}{12} \cdots\cdots, \dfrac{11}{12}$이고 이 중에서 기약분수는 $\dfrac{1}{12}, \dfrac{5}{12}, \dfrac{7}{12}, \dfrac{11}{12}$로 모두 4개입니다.

8 (잠자리 날개의 수)÷4=(잠자리의 수)이므로 잠자리 날개의 수가 52장일 때 잠자리는 $52 \div 4 = 13$(마리)입니다.

9 21의 약수: 1, 3, 7, 21 → 4개
36의 약수: 1, 2, 3, 4, 6, 9, 12, 18, 36 → 9개
49의 약수: 1, 7, 49 → 3개
56의 약수: 1, 2, 4, 7, 8, 14, 28, 56 → 8개
⇨ 약수의 개수가 가장 많은 수는 36입니다.

10 $\square + 1\dfrac{1}{12} = 2\dfrac{17}{24}$
$$\rightarrow \square = 2\frac{17}{24} - 1\frac{1}{12} = 2\frac{17}{24} - 1\frac{2}{24}$$
$$= 1\frac{15}{24} = 1\frac{5}{8}$$
⇨ ㉠=1, ㉡=8, ㉢=5이므로
㉠+㉡-㉢=1+8-5=4입니다.

11 5, 10, 15, 20, 25 …… 는 5의 배수입니다.
⇨ 14번째의 수는 $5 \times 14 = 70$입니다.

12 ♡는 ◉보다 11 큰 수이므로 ◉+11=♡입니다.
⇨ ◉가 45일 때 45+11=♡, ♡=56입니다.

13 (나누어 줄 수 있는 사람 수)
=(성연이가 가지고 있는 사탕의 수)÷15
=$(70 \times 3 + 30) \div 15$
=$(210 + 30) \div 15$
=$240 \div 15 = 16$(명)

14 (변 ㄴㄷ)=$5\dfrac{17}{20} - 1\dfrac{7}{10} - 2\dfrac{3}{4}$
$$= \left(5\frac{17}{20} - 1\frac{14}{20}\right) - 2\frac{3}{4}$$
$$= 4\frac{3}{20} - 2\frac{3}{4} = 3\frac{23}{20} - 2\frac{15}{20}$$
$$= 1\frac{8}{20} = 1\frac{2}{5} \text{ (cm)}$$
⇨ ㉠=1, ㉡=5, ㉢=2이므로
㉠+㉡+㉢=1+5+2=8입니다.

15 $\dfrac{3}{5}=\dfrac{18}{30}$, $\dfrac{8}{15}=\dfrac{16}{30}$, $\dfrac{5}{6}=\dfrac{25}{30}$

$\dfrac{5}{6}>\dfrac{3}{5}>\dfrac{8}{15}$ 이므로 비가 가장 많이 내린 요일은

수요일로 $\dfrac{5}{6}$ cm이고 가장 적게 내린 요일은 화요

일로 $\dfrac{8}{15}$ cm입니다.

➡ $\dfrac{5}{6}$와 $\dfrac{8}{15}$을 두 분모의 최소공배수를 공통분모로

하여 통분하면 $\dfrac{25}{30}$와 $\dfrac{16}{30}$이므로 통분한 두 분수

의 분자의 차는 $25-16=9$입니다.

16
$$\begin{array}{r}2)\underline{68}\\34\end{array}$$ 6과 8의 최소공배수: $2\times3\times4=24$

$$\begin{array}{r}2)\underline{2436}\\2)\underline{1218}\\3)\underline{69}\\23\end{array}$$ 24와 36의 최대공약수: $2\times2\times3=12$

➡ $(6◎8)▲36=24▲36=12$

17 (두 사람이 함께 하루 동안 하는 일의 양)

$=\dfrac{1}{6}+\dfrac{1}{12}$

$=\dfrac{2}{12}+\dfrac{1}{12}$

$=\dfrac{3}{12}=\dfrac{1}{4}$

➡ 두 사람이 함께 일을 하면 하루 동안 전체의 $\dfrac{1}{4}$을

할 수 있으므로 일을 모두 끝내는 데 4일이 걸립니다.

> 참고
> 하루 동안 전체 일의 $\dfrac{1}{■}$을 하면 일을 모두 끝내는
> 데 ■일이 걸립니다.

18 $\dfrac{3}{8}<\dfrac{□}{24}<\dfrac{7}{12}\to\dfrac{9}{24}<\dfrac{□}{24}<\dfrac{14}{24}$

$\dfrac{9}{24}$보다 크고 $\dfrac{14}{24}$보다 작은 수 중에서 분모가 24인

분수는 $\dfrac{10}{24}$, $\dfrac{11}{24}$, $\dfrac{12}{24}$, $\dfrac{13}{24}$입니다.

➡ 이 중에서 기약분수는 $\dfrac{11}{24}$, $\dfrac{13}{24}$으로 모두 2개입

니다.

19 30보다 크고 60보다 작은 수 중에서 7의 배수는
35, 42, 49, 56입니다.

각각의 수에 1을 더하면 36, 43, 50, 57이고, 이 중

에서 약수가 2개뿐인 수는 43입니다.

➡ 내년에 어머니의 나이는 43살입니다.

20 어떤 수는 $51-3=48$과 $33-3=30$의 공약수입니다.

$$\begin{array}{r}2)\underline{4830}\\3)\underline{2415}\\85\end{array}$$ 48과 30의 최대공약수: $2\times3=6$

➡ 48과 30의 공약수는 1, 2, 3, 6이고 나누는 수는

나머지보다 커야 하므로 어떤 수는 3보다 큰 6입니다.

> 참고
> 어떤 수로 ㉮와 ㉯를 나누면 나머지가 각각 ■, ▲
> 인 경우
> ➡ (㉮-■)와 (㉯-▲)는 어떤 수로 나누어떨어집니다.

21
> 전략 가이드
> 통분한 두 분수의 분자의 차가 7이므로 □와 □-7
> 로 놓고 식을 세워 구합니다.

통분한 두 분수의 분자를 각각 □와 □-7이라 하면

$□+(□-7)=37$

$□+□=44$

$□=22$

이므로 분자는 각각 22와 $22-7=15$입니다.

통분한 두 분수는 $\dfrac{22}{70}$와 $\dfrac{15}{70}$이고 각각을 기약분수

로 나타내면

$\dfrac{22}{70}=\dfrac{22÷2}{70÷2}=\dfrac{11}{35}$,

$\dfrac{15}{70}=\dfrac{15÷5}{70÷5}=\dfrac{3}{14}$입니다.

➡ 두 기약분수의 분자의 합은 $11+3=14$입니다.

22 84의 약수: 1, 2, 3, 4, 6, 7, 12, 14, 21, 28, 42, 84

각각의 수에서 1을 빼면 0, 1, 2, 3, 5, 6, 11, 13,
20, 27, 41, 83이고, 이 중에서 곱이 60이 되는 두

수를 찾아보면 $3\times20=60$이므로 ㉠-1과 ㉡-1

은 3과 20입니다.

➡ 두 수 ㉠과 ㉡은 4와 21이므로

두 수의 합은 $4+21=25$입니다.

23

❶ 통나무를 14도막으로 자르는 데 자른 횟수와 쉰 횟수 구하기
❷ 걸린 시간 구하기
❸ 끝나는 시각 구하기
❹ ●＋▲ 구하기

❶
통나무를 자른 횟수(번)	1	2	3	4	……
통나무 도막의 수(도막)	2	3	4	5	……

(통나무 도막의 수)－1＝(통나무를 자른 횟수)이 므로 14도막으로 자르려면 14－1＝13(번) 잘라 야 하고, 마지막에는 쉬지 않으므로 12번 쉬게 됩 니다.

❷ (통나무를 자르는 데 걸리는 시간)
$$=8 \times 13 + 2 \times 12$$
$$=104 + 24 = 128(분)$$

❸ 128분＝2시간 8분이므로
(끝나는 시각)＝오전 8시＋2시간 8분
＝오전 10시 8분

❹ ●＝10, ▲＝8이므로
●＋▲＝10＋8＝18입니다.

24 4월은 30일까지 있으므로 우윳값이 오르지 않았다면
(4월 한 달 동안 우윳값)＝700×30＝21000(원)
(올라서 더 낸 우윳값)＝21420－21000＝420(원)
(우윳값이 730원인 날수)＝420÷(730－700)
＝420÷30＝14(일)
⇨ 우윳값이 700원인 날수가 30－14＝16(일)이므 로 우윳값이 700원인 날은 4월 16일까지입니다.

25
$$\dfrac{\square}{4}+\dfrac{\square}{8}=\dfrac{\square\times2}{4\times2}+\dfrac{\square}{8}$$
$$=\dfrac{\square\times2}{8}+\dfrac{\square}{8}$$

분수 부분끼리 더한 결과는 자연수가 되어야 하므로 분자끼리의 합이 8의 배수가 되는 경우를 알아봅니 다. (□×2, □)＝(2×2, 4), (3×2, 2)인 경우가 있습니다.

• 분자가 (2×2, 4)인 경우
  분수 부분의 합은 언제나 1이고, 자연수 부분의 합은 1＋3＝4이므로 계산 결과는 5입니다.

• 분자가 (3×2, 2)인 경우
  분수 부분의 합은 언제나 1이고, 자연수 부분의 합은 1＋4＝5이므로 계산 결과는 6입니다.

⇨ 계산 결과가 될 수 있는 모든 자연수들의 합은 5＋6＝11입니다.

69~74쪽

1 25		**2** 8	
3 7		**4** 252	
5 ⑤		**6** 188	
7 3		**8** ④	
9 29		**10** ④	
11 8		**12** 48	
13 7		**14** 35	
15 3		**16** 4	
17 4		**18** 15	
19 82		**20** 195	
21 20		**22** 160	
23 41		**24** 11	
25 65			

1
$$20 \div 4 \times 5 = 5 \times 5$$
$$= 25$$
① ②

곱셈과 나눗셈이 섞여 있는 식에서는 앞에서부터 차례대로 계산합니다.

2 21과 35의 최대공약수: 7
$$\dfrac{21 \div 7}{35 \div 7} = \dfrac{3}{5}$$
⇨ ★＝3, ◆＝5이므로
★＋◆＝3＋5＝8입니다.

3
$$\dfrac{3}{4}+\dfrac{5}{6}=\dfrac{9}{12}+\dfrac{10}{12}$$
$$=\dfrac{19}{12}=1\dfrac{7}{12}$$
⇨ □＝7

4
2) 36 28
2) 18 14
  9 7
36과 28의 최소공배수:
2×2×9×7＝252

5
① $18 \div 8 = 2 \cdots 2$
② $24 \div 7 = 3 \cdots 3$
③ $48 \div 5 = 9 \cdots 3$
④ $63 \div 13 = 4 \cdots 11$
⑤ $54 \div 9 = 6 \rightarrow$ 54는 9의 배수, 9는 54의 약수
⇨ 두 수가 약수와 배수의 관계인 것은 ⑤ (54, 9)입니다.

6 6으로 나누었을 때 나누어떨어지는 수가 6의 배수입니다.
$528 \div 6 = 88$, $144 \div 6 = 24$, $188 \div 6 = 31 \cdots 2$, $924 \div 6 = 154$
⇨ 6의 배수가 아닌 수는 188입니다.

7 $\dfrac{4}{25} = \dfrac{8}{50} = \dfrac{12}{75} = \dfrac{16}{100} = \dfrac{20}{125} = \dfrac{24}{150}$
$= \dfrac{28}{175} = \dfrac{32}{200} = \cdots\cdots$

8
① 16의 약수: 1, 2, 4, 8, 16 → 5개
② 25의 약수: 1, 5, 25 → 3개
③ 36의 약수: 1, 2, 3, 4, 6, 9, 12, 18, 36 → 9개
④ 48의 약수: 1, 2, 3, 4, 6, 8, 12, 16, 24, 48
　　　　　　 → 10개
⑤ 57의 약수: 1, 3, 19, 57 → 4개
⇨ 약수의 개수가 가장 많은 수는 ④ 48입니다.

9 $\dfrac{12}{16} = \dfrac{12 \div 4}{16 \div 4} = \dfrac{3}{4} \rightarrow ㉠ = 3$
$\dfrac{12}{16} = \dfrac{12 \times 2}{16 \times 2} = \dfrac{24}{32} \rightarrow ㉡ = 32$
⇨ $㉡ - ㉠ = 32 - 3 = 29$

10
・(샤워기를 사용한 시간) $\times 12 =$ (나온 물의 양)
⇨ $\triangle \times 12 = ☆$
・(나온 물의 양) $\div 12 =$ (샤워기를 사용한 시간)
⇨ $☆ \div 12 = \triangle$

11 두 수의 공약수는 두 수의 최대공약수의 약수와 같습니다.
24의 약수는 1, 2, 3, 4, 6, 8, 12, 24이므로 두 수의 공약수는 모두 8개입니다.

12 ♡를 5로 나누면 ◇와 같으므로 ♡ $\div 5 = ◇$입니다.
$15 \div 5 = ㉠ \rightarrow ㉠ = 3$,
$㉡ \div 5 = 9 \rightarrow ㉡ = 45$
⇨ $㉠ + ㉡ = 3 + 45 = 48$

13 (한 봉지에 담은 감자의 수)
$= (10 \times 6 - 4) \div 8$
$= (60 - 4) \div 8$
$= 56 \div 8 = 7$(개)

14 $\square + 80 \div (10 \times 3 - 14) = \square + 80 \div (30 - 14)$
$\qquad\qquad\qquad\qquad\qquad\quad = \square + 80 \div 16$
$\qquad\qquad\qquad\qquad\qquad\quad = \square + 5$
$\square + 5 < 41$에서 $\square < 36$입니다.
⇨ $\square$ 안에 들어갈 수 있는 자연수는
1, 2, 3……, 35로 모두 35개입니다.

15 전략 가이드
소수를 분수로 나타내고, 세 분수를 통분한 다음 $\square$ 안에 들어갈 수 있는 자연수를 찾습니다.

$0.428 = \dfrac{428}{1000}$,
$\dfrac{\square \times 125}{8 \times 125} = \dfrac{\square \times 125}{1000}$,
$\dfrac{33 \times 25}{40 \times 25} = \dfrac{825}{1000}$이므로
$\dfrac{428}{1000} < \dfrac{\square \times 125}{1000} < \dfrac{825}{1000}$에서
$428 < \square \times 125 < 825$입니다.
⇨ $\square$ 안에 들어갈 수 있는 자연수는 4, 5, 6으로 모두 3개입니다.

16 $\begin{bmatrix} ★ & 102 \\ 6 & 15 \end{bmatrix} = ★ \times 15 - 102 \div 6 = 43$
⇨ $★ \times 15 - 102 \div 6 = 43$
$\qquad ★ \times 15 - 17 = 43$
$\qquad ★ \times 15 = 60$
$\qquad\qquad ★ = 4$

17

푸는 순서
❶ 색 테이프 3장의 길이의 합 구하기
❷ 색 테이프 한 장의 길이 구하기
❸ ▲＋★ 구하기

❶ 색 테이프 3장을 겹쳐서 한 줄로 길게 이어 붙이면 겹치는 부분은 2군데입니다.

(색 테이프 3장의 길이의 합)
＝(이어 붙인 색 테이프 전체의 길이)
　＋(겹치는 부분의 길이의 합)

$$=2\frac{7}{10}+\frac{3}{8}+\frac{3}{8}$$

$$=2\frac{28}{40}+\frac{15}{40}+\frac{15}{40}$$

$$=2\frac{58}{40}=3\frac{18}{40}=3\frac{9}{20}\text{ (m)}$$

❷ $3\frac{9}{20}=1\frac{3}{20}+1\frac{3}{20}+1\frac{3}{20}$이므로

색 테이프 한 장의 길이는 $1\frac{3}{20}$ m입니다.

❸ ▲＝1, ★＝3이므로

▲＋★＝1＋3＝4입니다.

18 $\dfrac{3}{7}+\dfrac{\square}{9}=\dfrac{27}{63}+\dfrac{\square\times7}{63}=\dfrac{27+\square\times7}{63}$

$\dfrac{27+\square\times7}{63}<\dfrac{63}{63}$

→ $27+\square\times7<63$, $\square\times7<36$

⇨ □ 안에 들어갈 수 있는 자연수는 1, 2, 3, 4, 5로 $1+2+3+4+5=15$입니다.

19 4로 나누기 전의 분수: $\dfrac{5\times4}{17\times4}=\dfrac{20}{68}$

3을 더하기 전의 분수: $\dfrac{20-3}{68-3}=\dfrac{17}{65}$

⇨ 어떤 분수의 분모와 분자의 합은 $65+17=82$입니다.

20 구하려는 수는 24와 32의 공배수보다 3 큰 수입니다.

$$
\begin{array}{r}
2)\underline{24\quad 32}\\
2)\underline{12\quad 16}\\
2)\underline{\;6\quad\;\;8}\\
3\quad\;\;4
\end{array}
$$

24와 32의 최소공배수:
$2\times2\times2\times3\times4=96$

⇨ 구하려는 수는 96의 배수보다 3 큰 수이므로 99, 195, 291……이고 이 중에서 200에 가장 가까운 수는 195입니다.

21 분모가 85인 진분수는 $\dfrac{1}{85}$, $\dfrac{2}{85}$, $\dfrac{3}{85}$……, $\dfrac{83}{85}$, $\dfrac{84}{85}$입니다.

$5\times17=85$이므로 분자가 5의 배수이거나 17의 배수인 분수를 찾습니다.

$84\div5=16\cdots4$이므로 5의 배수는 16개,

$84\div17=4\cdots16$이므로 17의 배수는 4개입니다.

⇨ 약분이 되는 분수는 모두 $16+4=20$(개)입니다.

참고
약분이 되는 분수
⇨ 분모와 분자에 1 이외의 공약수가 있는 분수

22 사용하고 남은 부분은 철사 전체의

$$1-\frac{3}{8}-\frac{2}{5}=\frac{5}{8}-\frac{2}{5}$$

$$=\frac{25}{40}-\frac{16}{40}=\frac{9}{40}$$입니다.

철사 전체 길이의 $\dfrac{9}{40}$가 36 cm이므로

전체의 $\dfrac{1}{40}$은 $36\div9=4$ (cm)입니다.

⇨ (처음 철사의 길이)＝$4\times40=160$ (cm)

23 바둑돌의 수를 표로 나타내면 다음과 같습니다.

첫째　둘째　셋째　　넷째

순서	첫째	둘째	셋째	넷째	……
흰색 바둑돌의 수(개)	0	1 (1×1)	4 (2×2)	9 (3×3)	……
검은색 바둑돌의 수(개)	4 (4×1)	8 (4×2)	12 (4×3)	16 (4×4)	……

□째에 놓인 흰색 바둑돌의 수는

$(\square-1)\times(\square-1)$개이고

검은색 바둑돌의 수는 $(4\times\square)$개입니다.

⇨ 10째에 놓인 흰색 바둑돌의 수는

$(10-1)\times(10-1)=9\times9=81$(개),

검은색 바둑돌의 수는

$4\times10=40$(개)이므로 차는

$(10-1)\times(10-1)-4\times10$

$=9\times9-4\times10$

$=81-40=41$(개)입니다.

24

		㉠
㉡	■	$3\frac{4}{9}$
$2\frac{5}{6}$		

$$㉠+■+2\frac{5}{6}=㉡+■+3\frac{4}{9}$$

$$㉠+2\frac{5}{6}=㉡+3\frac{4}{9}$$

$$㉠-㉡=3\frac{4}{9}-2\frac{5}{6}=3\frac{8}{18}-2\frac{15}{18}$$

$$=2\frac{26}{18}-2\frac{15}{18}=\frac{11}{18}$$

➡ □ 안에 알맞은 수는 11입니다.

25

> **푸는 순서**
> ❶ 모양의 수와 성냥개비의 수 사이의 대응 관계를 식으로 나타내기
> ❷ 만들 수 있는 모양의 수 구하기
> ❸ 성냥개비 1개를 한 변으로 하는 삼각형과 사각형의 수 구하기

❶ 모양을 한 모양으로 보면

모양의 수(개)	1	2	3	4	5	……
성냥개비의 수(개)	6	11	16	21	26	……

처음 모양을 만들 때는 성냥개비가 6개 필요하고 모양을 1개 더 만들 때마다 성냥개비가 5개씩 더 필요하므로 (모양의 수)×5+1=(성냥개비의 수)입니다.

❷ 모양의 수를 □라 하면
□×5+1=163, □×5=162,
162÷5=32…2이므로 모양을 32개 만들고 성냥개비가 2개 남으므로 삼각형을 1개 더 만들 수 있습니다.

❸ 모양에 삼각형과 사각형이 1개씩 있으므로 성냥개비 1개를 한 변으로 하는 삼각형과 사각형을 모두
2×32+1=65(개)까지 만들 수 있습니다.

75~80쪽

1 3		**2** ③	
3 3		**4** ⑤	
5 90		**6** 5	
7 14		**8** 100	
9 30		**10** 3	
11 15		**12** 60	
13 34		**14** 54	
15 235		**16** 12	
17 59		**18** 40	
19 10		**20** 12	
21 4		**22** 20	
23 490		**24** 99	
25 16			

1 $\left(\frac{2}{3},\frac{1}{7}\right)\rightarrow\left(\frac{2\times7}{3\times7},\frac{1\times3}{7\times3}\right)\rightarrow\left(\frac{14}{21},\frac{3}{21}\right)$

➡ □=3

2
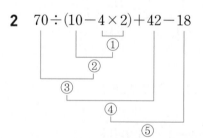

$$70\div(10-4\times2)+42-18$$

3 3으로 나누었을 때 나누어떨어지는 수가 3의 배수입니다.
48÷3=16, 52÷3=17…1, 9÷3=3,
70÷3=23…1, 93÷3=31
➡ 3의 배수는 48, 9, 93으로 모두 3개입니다.

4 분모와 분자의 공약수가 1뿐인 분수를 기약분수라고 합니다.

5
```
3) 30  45
5) 10  15
    2   3
```
30과 45의 최소공배수:
3×5×2×3=90

6 ○는 △의 5배이므로 △×5=○입니다.
➡ □=5

7 $\dfrac{28}{42}$을 한 번만 약분하여 기약분수로 나타내려면 분모와 분자를 42와 28의 최대공약수로 나누어야 합니다.

$\begin{array}{r} 2\,)\underline{\,42\quad 28\,} \\ 7\,)\underline{\,21\quad 14\,} \\ 3\quad 2 \end{array}$ 42와 28의 최대공약수: $2\times 7=14$

8
$$88+3\times 36\div(25-16)=88+3\times 36\div 9$$
$$=88+108\div 9$$
$$=88+12$$
$$=100$$

9 16의 약수: 1, 2, 4, 8, 16 → 5개
43의 약수: 1, 43 → 2개
28의 약수: 1, 2, 4, 7, 14, 28 → 6개
30의 약수: 1, 2, 3, 5, 6, 10, 15, 30 → 8개
⇨ 약수의 개수가 가장 많은 수는 30입니다.

10 $\dfrac{2}{15}=\dfrac{8}{60}$, $\dfrac{\square}{20}=\dfrac{\square\times 3}{60}$, $\dfrac{1}{6}=\dfrac{10}{60}$

$\dfrac{8}{60}<\dfrac{\square\times 3}{60}<\dfrac{10}{60}$이므로 $8<\square\times 3<10$에서
$\square=3$입니다.

11 ◇를 13으로 나누면 ◎와 같습니다.
→ ◇÷13=◎
⇨ ◇가 195일 때 195÷13=◎, ◎=15

12 $\begin{array}{r} 2\,)\underline{\,12\quad 20\,} \\ 2\,)\underline{\,6\quad 10\,} \\ 3\quad 5 \end{array}$ 12와 20의 최소공배수: $2\times 2\times 3\times 5=60$

⇨ 바로 다음번에 두 기계를 동시에 점검하는 날은 60일 후입니다.

13 분모와 분자의 차가 1인 진분수는 분모가 클수록 더 크므로 $\dfrac{8}{9}>\dfrac{4}{5}>\dfrac{2}{3}$입니다.

⇨ $\dfrac{8}{9}+\dfrac{2}{3}-\dfrac{4}{5}=\dfrac{40}{45}+\dfrac{30}{45}-\dfrac{36}{45}$
$$=\dfrac{70}{45}-\dfrac{36}{45}=\dfrac{34}{45}$$

이므로 분자는 34입니다.

14
전략 가이드
가장 큰 대분수는 자연수 부분에 가장 큰 수를, 가장 작은 대분수는 자연수 부분에 가장 작은 수를 놓아 만듭니다.

가장 큰 대분수: $8\dfrac{3}{7}$,

가장 작은 대분수: $1\dfrac{3}{8}$

$8\dfrac{3}{7}+1\dfrac{3}{8}=8\dfrac{24}{56}+1\dfrac{21}{56}=9\dfrac{45}{56}$

⇨ ▲=9, ■=45이므로
▲+■=9+45=54입니다.

15 40분=$\dfrac{40}{60}$시간=$\dfrac{2}{3}$시간

(지은이가 도서관에 있었던 시간)
$$=1\dfrac{3}{4}+\dfrac{2}{3}+1\dfrac{1}{2}$$
$$=1\dfrac{9}{12}+\dfrac{8}{12}+1\dfrac{6}{12}$$
$$=2\dfrac{23}{12}=3\dfrac{11}{12}(시간)$$

⇨ $3\dfrac{11}{12}$시간=3시간+$\dfrac{11}{12}$시간
$$=3시간+\dfrac{55}{60}시간$$
$$=3시간 55분$$

이므로 3시간 55분=235분입니다.

16 $0.25=\dfrac{25}{100}=\dfrac{1}{4}$

$\dfrac{1}{4}$과 $\dfrac{5}{7}$를 분모가 28인 분수로 통분하면

$\dfrac{1}{4}=\dfrac{1\times 7}{4\times 7}=\dfrac{7}{28}$, $\dfrac{5}{7}=\dfrac{5\times 4}{7\times 4}=\dfrac{20}{28}$입니다.

⇨ $\dfrac{7}{28}$보다 크고 $\dfrac{20}{28}$보다 작은 분수는

$\dfrac{8}{28}$, $\dfrac{9}{28}$, $\dfrac{10}{28}$, $\dfrac{11}{28}$, $\dfrac{12}{28}$, $\dfrac{13}{28}$, $\dfrac{14}{28}$, $\dfrac{15}{28}$, $\dfrac{16}{28}$,

$\dfrac{17}{28}$, $\dfrac{18}{28}$, $\dfrac{19}{28}$로 모두 12개입니다.

17 화씨온도를 $\square$ °F라고 하면
$$(\square-32)\times 5\div 9=15$$
$$(\square-32)\times 5=135$$
$$\square-32=27$$
$$\square=59$$

⇨ 섭씨 15 °C를 화씨로 나타내면 59 °F입니다.

18

우성이가 말한 수	3	9	11	15	……
은지가 답한 수	21	27	29	33	……

우성이가 말한 수를 △, 은지가 답한 수를 ♡라고 할 때, ♡는 △보다 18 큰 수이므로 △+18=♡입니다.

⇨ ♡가 58일 때 △+18=58, △=40이므로 우성이는 40이라고 말했습니다.

19 279÷9=31에서 279가 9의 배수이므로 □ 안에 들어갈 수 있는 수도 9의 배수이어야 합니다.

⇨ 두 자리 수인 9의 배수는 18, 27, 36, 45, 54, 63, 72, 81, 90, 99이므로 모두 10개입니다.

20 $\frac{1}{15}=\frac{2}{30}$, $\frac{1}{10}=\frac{3}{30}$이므로

은재와 민호가 하는 일의 양 전체를 1이라 하면

$\frac{2}{30}+\frac{3}{30}+\frac{2}{30}+\frac{3}{30}+\frac{2}{30}+\frac{3}{30}+\frac{2}{30}+\frac{3}{30}$

$+\frac{2}{30}+\frac{3}{30}+\frac{2}{30}+\frac{3}{30}=\frac{30}{30}=1$

이므로 일을 모두 끝내는 데 12일이 걸립니다.

> **다른 풀이**
>
> $\frac{1}{15}=\frac{2}{30}$, $\frac{1}{10}=\frac{3}{30}$
>
> (두 사람이 이틀 동안 하는 일의 양)
>
> $=\frac{1}{15}+\frac{1}{10}=\frac{2}{30}+\frac{3}{30}=\frac{5}{30}=\frac{1}{6}$
>
> ⇨ $\frac{1}{6}+\frac{1}{6}+\frac{1}{6}+\frac{1}{6}+\frac{1}{6}+\frac{1}{6}=1$이므로 일을 끝내는 데 6×2=12(일)이 걸립니다.

21 분모가 30인 분수 중에서 $\frac{1}{2}\left(=\frac{15}{30}\right)$보다 크고 $1\left(=\frac{30}{30}\right)$보다 작은 분수는 $\frac{16}{30}$, $\frac{17}{30}$, $\frac{18}{30}$……, $\frac{29}{30}$입니다.

이 중에서 기약분수는 $\frac{17}{30}$, $\frac{19}{30}$, $\frac{23}{30}$, $\frac{29}{30}$로 모두 4개입니다.

22 90=2×3×3×5이므로 분모를 ㉠×㉠과 같이 같은 수를 2번 곱한 수로 나타내기 위해서는 분모와 분자에 각각 2×5를 곱해야 합니다.

$\frac{1}{90}=\frac{2×5}{(2×3×5)×(2×3×5)}=\frac{10}{30×30}$

⇨ ㉠=30, ㉡=10이므로

㉠-㉡=30-10=20입니다.

23 달걀 한 개의 무게를 구하는 식은 (970-586)÷8 (g)이므로 빈 상자의 무게는

586-(970-586)÷8×7

=586-384÷8×7

=586-336=250 (g)입니다.

⇨ 무게가 같은 달걀 5개를 넣었을 때 상자의 무게는

250+(970-586)÷8×5

=250+384÷8×5

=250+48×5

=250+240=490 (g)

24

> **푸는 순서**
> ❶ 늘어놓은 수의 규칙 찾기
> ❷ $\frac{1}{2}$과 크기가 같은 수의 개수 구하기

❶ 늘어놓은 수를 다음과 같이 2개, 3개, 4개……씩 차례로 묶어 보면 200을 제외한 모든 수는 198개의 묶음이 됩니다.

$\left(2, \frac{1}{2}\right)$, $\left(3, \frac{1}{3}, \frac{2}{3}\right)$, $\left(4, \frac{1}{4}, \frac{2}{4}, \frac{3}{4}\right)$……,
     2개   3개   4개

$\left(199, \frac{1}{199}, \frac{2}{199}……, \frac{198}{199}\right)$, 200
              199개

❷ $\frac{1}{2}$과 크기가 같은 수는 홀수 번째 묶음에만 각 묶음당 1개씩이고 홀수 번째 묶음은 198÷2=99(묶음)이므로 $\frac{1}{2}$과 크기가 같은 수는 모두 99개입니다.

25 두 분수의 분모를 ㉠, ㉡라 하면

3) ㉠ ㉡   최소공배수:
   ㉠ ㉡   3×㉠×㉡=135

3×㉠×㉡=135에서 ㉠×㉡=45이므로 ㉠과 ㉡이 될 수 있는 두 수를 (㉠, ㉡)으로 나타내면 (1, 45), (5, 9), (9, 5), (45, 1)입니다.

두 분수의 분모가 두 자리 수이어야 하므로 ㉠, ㉡이 될 수 있는 경우는 ㉠=5, ㉡=9 또는 ㉠=9, ㉡=5일 때입니다.

⇨ 두 분수의 분모는 15와 27이므로 두 분수는 각각 $\frac{4}{15}$와 $\frac{4}{27}$이고 두 분수의 차는

$\frac{4}{15}-\frac{4}{27}=\frac{36}{135}-\frac{20}{135}=\frac{16}{135}$이므로

●=16입니다.

81~86쪽

1 4	**2** 2
3 19	**4** 3
5 6	**6** 1
7 8	**8** 8
9 93	**10** 73
11 168	**12** 2
13 15	**14** 13
15 21	**16** ②
17 15	**18** 7
19 18	**20** 69
21 3	**22** 448
23 34	**24** 11
25 30	

1
$$2)\underline{28\quad 16}$$
$$2)\underline{14\quad 8}$$
$$\quad\;\;7\quad 4$$
28과 16의 최대공약수:
$2\times2=4$

2 $\dfrac{24}{36}=\dfrac{24\div12}{36\div12}=\dfrac{2}{3}$ ⇨ ㉠$=2$

3 $8+23-72\div6=8+23-12$
　　㉜　　　　㉛　$=31-12$
　　　㉲　　　　　$=19$

4 15와 30의 공배수는 30, 60, 90, 120, 150……이므로 60, 120, 150으로 모두 3개입니다.

5 누름 못의 수는 종이의 수보다 1 큽니다.
→ (종이의 수)$+1=$(누름 못의 수)
⇨ $5+1=$㉠, ㉠$=6$

6 $\dfrac{5}{8}+2\dfrac{2}{5}=\dfrac{25}{40}+2\dfrac{16}{40}=2\dfrac{41}{40}=3\dfrac{1}{40}$
⇨ □$=1$

7 $21=3\times7$이므로 □가 3의 배수 또는 7의 배수일 때 약분이 됩니다.
⇨ □ 안에 들어갈 수 있는 수는
3, 6, 7, 9, 12, 14, 15, 18로 모두 8개입니다.

8 $\dfrac{㉠\times4}{13\times4}=\dfrac{8}{52}$ → ㉠$\times4=8$, ㉠$=2$
$\dfrac{2\times3}{13\times3}=\dfrac{㉡}{39}$ → ㉡$=6$
⇨ ㉠$+$㉡$=2+6=8$

9
$$3)\underline{12\quad 21}$$
$$\quad\;\;4\quad 7$$
12와 21의 최소공배수:
$3\times4\times7=84$
$$3)\underline{27\quad 72}$$
$$3)\underline{\;9\quad 24}$$
$$\quad\;\;3\quad 8$$
27과 72의 최대공약수:
$3\times3=9$
⇨ (두 수의 합)$=84+9=93$

10 $10\dfrac{3}{4}\left(=10\dfrac{75}{100}\right)>10\dfrac{29}{100}$이므로
$10\dfrac{3}{4}-10\dfrac{29}{100}=10\dfrac{75}{100}-10\dfrac{29}{100}$
$=\dfrac{46}{100}=\dfrac{23}{50}$ (m)
⇨ ㉠$=50$, ㉡$=23$이므로
㉠$+$㉡$=50+23=73$입니다.

11 ・$56-12\times4+9=56-48+9$
$=8+9=17$
・$(56-12)\times4+9=44\times4+9$
$=176+9=185$
⇨ $185-17=168$

12 $22.26=22\dfrac{26}{100}=22\dfrac{13}{50}$
$\left(22\dfrac{17}{30},\ 22\dfrac{11}{18}\right)\to\left(22\dfrac{51}{90},\ 22\dfrac{55}{90}\right)$
$\to 22\dfrac{17}{30}<22\dfrac{11}{18}$
$\left(22\dfrac{11}{18},\ 22\dfrac{13}{50}\right)\to\left(22\dfrac{275}{450},\ 22\dfrac{117}{450}\right)$
$\to 22\dfrac{11}{18}>22\dfrac{13}{50}$
$\left(22\dfrac{17}{30},\ 22\dfrac{13}{50}\right)\to\left(22\dfrac{85}{150},\ 22\dfrac{39}{150}\right)$
$\to 22\dfrac{17}{30}>22\dfrac{13}{50}$
⇨ $22\dfrac{11}{18}>22\dfrac{17}{30}>22\dfrac{13}{50}(=22.26)$
따라서 재활용품을 가장 많이 모은 반은 2반입니다.

13 $5\dfrac{3}{5}+6\dfrac{3}{20}+3\dfrac{1}{4}=5\dfrac{12}{20}+6\dfrac{3}{20}+3\dfrac{5}{20}$

$\qquad\qquad\qquad=14\dfrac{20}{20}=15\ (\text{cm})$

14 $15+4\times9-\square=38$

$\qquad 15+36-\square=38$

$\qquad\qquad 51-\square=38$

$\qquad\qquad 51-38=\square$

$\qquad\qquad\qquad \square=13$

15 $\dfrac{5}{\bigcirc}=\dfrac{5\times7}{\bigcirc\times7}=\dfrac{35}{84}\rightarrow\bigcirc\times7=84,\ \bigcirc=12$

$\dfrac{\text{ⓛ}}{28}=\dfrac{\text{ⓛ}\times3}{28\times3}=\dfrac{27}{84}\rightarrow\text{ⓛ}\times3=27,\ \text{ⓛ}=9$

$\Rightarrow\bigcirc+\text{ⓛ}=12+9=21$

16 어떤 수를 $\square$라 하면

$\square-2\dfrac{17}{25}=3\dfrac{3}{10}$

$\Rightarrow\square=3\dfrac{3}{10}+2\dfrac{17}{25}$

$\qquad\ =3\dfrac{15}{50}+2\dfrac{34}{50}=5\dfrac{49}{50}$

> **참고**
>
> 덧셈과 뺄셈의 관계를 이용합니다.
>
> ■－▲＝● ⇨ ■＝●＋▲

17 가장 큰 대분수: $7\dfrac{3}{4}$,

가장 작은 대분수: $1\dfrac{3}{7}$

$7\dfrac{3}{4}-1\dfrac{3}{7}=7\dfrac{21}{28}-1\dfrac{12}{28}=6\dfrac{9}{28}$

$\Rightarrow\bigcirc=6,\ \text{ⓛ}=9$이므로

$\qquad\bigcirc+\text{ⓛ}=6+9=15$입니다.

18 18의 배수도 되고 42의 배수도 되는 수는 18과 42의 공배수입니다.

$\begin{array}{r}2\,)\underline{\ 18\quad42\ }\\3\,)\underline{\ \ 9\quad21\ }\\3\quad\ 7\end{array}$ 18과 42의 최소공배수:
$2\times3\times3\times7=126$

⇨ 18과 42의 공배수는 126의 배수이고 세 자리 수 중에서 126의 배수는 126, 252, 378, 504, 630, 756, 882로 모두 7개입니다.

19 어떤 수 중에서 가장 큰 수는 $93-3=90$과 $75-3=72$의 최대공약수입니다.

$\begin{array}{r}2\,)\underline{\ 90\quad72\ }\\3\,)\underline{\ 45\quad36\ }\\3\,)\underline{\ 15\quad12\ }\\5\quad\ 4\end{array}$ 90과 72의 최대공약수:
$2\times3\times3=18$

20

	1번	2번	3번	……

끈을 자른 횟수(번)	1	2	3	4	……
끈 도막의 수(도막)	5	9	13	17	……

⇨ (끈을 자른 횟수)$\times4+1=$(끈 도막의 수)이므로 끈을 17번 자르면 $17\times4+1=69$(도막)이 됩니다.

21 **전략 가이드**

> 주어진 분수를 통분하여 조건을 만족하는 $(\bigcirc,\ \text{ⓛ})$의 경우를 모두 찾습니다.

$\dfrac{\bigcirc}{12}=\dfrac{\bigcirc\times5}{12\times5}=\dfrac{\bigcirc\times5}{60}$,

$\dfrac{\text{ⓛ}}{20}=\dfrac{\text{ⓛ}\times3}{20\times3}=\dfrac{\text{ⓛ}\times3}{60}$이므로

$\dfrac{\bigcirc\times5}{60}=\dfrac{\text{ⓛ}\times3}{60}\rightarrow\bigcirc\times5=\text{ⓛ}\times3$

$\dfrac{\bigcirc}{12}$과 $\dfrac{\text{ⓛ}}{20}$은 진분수이므로 $\bigcirc<12,\ \text{ⓛ}<20$입니다.

⇨ 조건을 만족하는 $(\bigcirc,\ \text{ⓛ})$은 $(3,\ 5),\ (6,\ 10),\ (9,\ 15)$로 모두 3가지입니다.

22 분모가 8이므로 분자가 짝수이면 약분되고, 홀수이면 약분되지 않아 기약분수가 됩니다.

$\left(1\dfrac{1}{8}+1\dfrac{3}{8}+1\dfrac{5}{8}+1\dfrac{7}{8}\right)$

$+\left(2\dfrac{1}{8}+2\dfrac{3}{8}+2\dfrac{5}{8}+2\dfrac{7}{8}\right)$

$+\cdots+\left(14\dfrac{1}{8}+14\dfrac{3}{8}+14\dfrac{5}{8}+14\dfrac{7}{8}\right)$

$=6+10+14+\cdots+50+54+58=64\times7$

$=448$

23

푸는 순서

❶ 수의 순서와 늘어놓은 수 사이의 대응 관계를 식으로 나타내기

❷ 처음으로 200보다 큰 수가 놓이는 순서 구하기

❶
순서	1	2	3	4	5	6	7	……
수	5	11	17	23	29	35	41	……

순서가 1씩 커질 때마다 수는 6씩 커집니다.

$1 \times 6 - 1 = 5$, $2 \times 6 - 1 = 11$, $3 \times 6 - 1 = 17$,

$4 \times 6 - 1 = 23$, $5 \times 6 - 1 = 29$, $6 \times 6 - 1 = 35$,

$7 \times 6 - 1 = 41$ ……이므로

□번째 수를 △라고 할 때 두 양 사이의 대응 관계를 식으로 나타내면 $□ \times 6 - 1 = △$입니다.

❷ 33번째 수가 $33 \times 6 - 1 = 197$,

34번째 수가 $34 \times 6 - 1 = 203$이므로

200보다 큰 수는 34번째에 처음으로 나옵니다.

24 $\dfrac{㉠}{7}$과 $\dfrac{㉡}{3}$의 값이 같으므로 $\dfrac{㉠}{7} = \dfrac{㉡}{3} = ■$라 하면

$㉠ = 7 \times ■$, $㉡ = 3 \times ■$라 놓습니다.

$■\,)\,㉠\quad㉡$ → 최대공약수: ■

$\quad\quad 7\quad 3$　　최소공배수: $■ \times 7 \times 3 = ■ \times 21$

$■ + ■ \times 21 = 242$, $■ \times 22 = 242$, $■ = 11$

⇨ 두 수 ㉠과 ㉡의 최대공약수는 11입니다.

25 ・㉠ 마을에 모으는 경우:

$100 \times 3 \times 2 + 200 \times 3 \times 4 = 3000$(분)

・㉡ 마을에 모으는 경우:

$50 \times 3 + 100 \times 3 + 200 \times 3 \times 3 = 2250$(분)

・㉢ 마을에 모으는 경우:

$50 \times 3 \times 2 + 200 \times 3 \times 2 = 1500$(분)

・㉣ 마을에 모으는 경우:

$50 \times 3 \times 3 + 100 \times 3 + 200 \times 3 = 1350$(분)

・㉤ 마을에 모으는 경우:

$50 \times 3 \times 4 + 100 \times 3 \times 2 = 1200$(분)

⇨ 시간이 가장 많이 걸리는 경우는 ㉠ 마을에 모으는 경우이고, 가장 적게 걸리는 경우는 ㉤ 마을에 모으는 경우이므로

(시간의 차) $= 3000 - 1200 = 1800$(분)

　　　　　　　→ 30(시간)입니다.

87~92쪽

1 ①		**2** 2	
3 15		**4** 180	
5 3		**6** 11	
7 3		**8** 45	
9 58		**10** 8	
11 72		**12** 11	
13 23		**14** 2	
15 30		**16** 120	
17 12		**18** 3	
19 11		**20** 4	
21 4		**22** 216	
23 100		**24** 34	
25 9			

1 어떤 자연수를 1로 나누면 항상 나누어떨어지므로 1은 모든 자연수의 약수입니다.

2 분모와 분자의 공약수가 1뿐인 분수를 찾으면

$\dfrac{15}{22}$와 $\dfrac{3}{10}$입니다. ⇨ 2개

3 8의 약수: 1, 2, 4, 8

⇨ (약수의 합) $= 1 + 2 + 4 + 8 = 15$

4 $100 + (54 - 38) \times 5 = 100 + 16 \times 5$

$\quad\quad\quad\quad\quad\quad\quad\quad = 100 + 80$

$\quad\quad\quad\quad\quad\quad\quad\quad = 180$

5 $2\,)\,30\quad42$

$3\,)\,15\quad21$

$\quad\ 5\quad\ 7$　30과 42의 최대공약수: $2 \times 3 = 6$

⇨ ㉠ $= 3$

6 $\dfrac{7}{8} - \dfrac{5}{12} = \dfrac{21}{24} - \dfrac{10}{24} = \dfrac{11}{24}$

⇨ □ $= 11$

7 △는 ○보다 3 큰 수이므로 ○ $+ 3 = △$입니다.

⇨ □ $= 3$

8 공통분모가 될 수 있는 수 중에서 가장 작은 수는 15 와 9의 최소공배수입니다.

$3\,\underline{)\,15\quad 9}$
$\,5\quad 3$

15와 9의 최소공배수:
$3 \times 5 \times 3 = 45$

9 $\square - (25 + 17) = 16$
$\square - 42 = 16$
$\square = 16 + 42$
$\square = 58$

10 분모가 20인 진분수는 $\dfrac{1}{20}$, $\dfrac{2}{20}$……, $\dfrac{18}{20}$, $\dfrac{19}{20}$로

19개이고, 이 중에서 기약분수는 $\dfrac{1}{20}$, $\dfrac{3}{20}$, $\dfrac{7}{20}$,

$\dfrac{9}{20}$, $\dfrac{11}{20}$, $\dfrac{13}{20}$, $\dfrac{17}{20}$, $\dfrac{19}{20}$로 모두 8개입니다.

11 ♡는 ◎의 4배이므로 ◎ × 4 = ♡입니다.
⇨ ◎ = 18일 때 18 × 4 = ♡, ♡ = 72입니다.

12 $\dfrac{1}{5} + \dfrac{7}{15} = \dfrac{3}{15} + \dfrac{7}{15} = \dfrac{10}{15}$

$\dfrac{10}{15} < \dfrac{\square}{15}$이므로 □ 안에 들어갈 수 있는 자연수는

11, 12, 13……이고 이 중에서 가장 작은 수는 11 입니다.

13

배열 순서	1	2	3	4	……
바둑돌의 수(개)	3	5	7	9	……

배열 순서를 □, 바둑돌의 수를 △라고 할 때,
□ × 2 + 1 = △입니다.
⇨ □ = 11일 때 11 × 2 + 1 = △, △ = 23이므로
11째에 필요한 바둑돌은 23개입니다.

14 (이어 붙인 색 테이프 전체의 길이)

$= \left(\dfrac{5}{6} + \dfrac{3}{4} + \dfrac{2}{3}\right) - \left(\dfrac{1}{8} + \dfrac{1}{8}\right)$

$= \left(\dfrac{10}{12} + \dfrac{9}{12} + \dfrac{8}{12}\right) - \dfrac{2}{8} = 2\dfrac{1}{4} - \dfrac{1}{4} = 2$ (m)

15 (영주가 가지고 있는 돈)

$= 5000 \times 2 + 1000 \times 13 + 500 \times 3 + 100$
$= 10000 + 13000 + 1500 + 100 = 24600$(원)

⇨ 대한민국 돈이 820원일 때 싱가포르 돈은 1달러 이므로 영주가 가지고 있는 돈을 모두 싱가포르 돈으로 바꾸면 24600 ÷ 820 = 30(달러)입니다.

16 남은 철사는 전체의

$1 - \dfrac{3}{10} - \dfrac{8}{15} = \dfrac{30}{30} - \dfrac{9}{30} - \dfrac{16}{30} = \dfrac{5}{30} = \dfrac{1}{6}$입니다.

⇨ 전체의 $\dfrac{1}{6}$이 20 cm이므로 처음에 가지고 있던 철사는 20 × 6 = 120 (cm)입니다.

> **참고**
> 전체의 $\dfrac{1}{\blacksquare}$이 ㉠이면 전체는 ㉠ × ■입니다.

17 • 계산 결과가 가장 클 때:
$80 \div (2 \times 5) + 8 = 80 \div 10 + 8 = 8 + 8 = 16$
└→ 나누는 수가 작아야 합니다.

• 계산 결과가 가장 작을 때:
$80 \div (5 \times 8) + 2 = 80 \div 40 + 2 = 2 + 2 = 4$
└→ 나누는 수가 커야 합니다.

⇨ 16 − 4 = 12

18 $0.625 = \dfrac{625}{1000} = \dfrac{5}{8}$

공통분모를 48로 하여 통분하면

$\dfrac{5}{8}\left(= \dfrac{30}{48}\right) < \dfrac{\square}{48} < \dfrac{5}{6}\left(= \dfrac{40}{48}\right)$입니다.

⇨ □ 안에 들어갈 수 있는 수는 31, 32, 33, 34, 35, 36, 37, 38, 39이고, 48과 공약수가 1뿐인 수는 31, 35, 37이므로 조건을 만족하는 분수는 $\dfrac{31}{48}$, $\dfrac{35}{48}$, $\dfrac{37}{48}$로 모두 3개입니다.

19 $\dfrac{6}{11}$과 크기가 같은 분수인

$\dfrac{6}{11} = \dfrac{12}{22} = \dfrac{18}{33} = \dfrac{24}{44} = ……$ 중에서 분모와 분자

의 차가 22 − 7 = 15인 분수를 찾으면 $\dfrac{18}{33}$입니다.

⇨ $\dfrac{7 + \square}{22 + \square} = \dfrac{18}{33}$에서 □ = 11입니다.

20

$2\,\underline{)\,30\quad 40}$
$5\,\underline{)\,15\quad 20}$
$\,3\quad 4$

30과 40의 최소공배수:
$2 \times 5 \times 3 \times 4 = 120$

30과 40의 최소공배수가 120이므로 두 버스는 120분 = 2시간마다 동시에 출발합니다.

⇨ 오전 6시 이후부터 오후 3시까지 두 버스가 동 시에 출발하는 시각은 오전 8시, 오전 10시, 낮 12시, 오후 2시로 모두 4번입니다.

21 어떤 수가 8과 12로 나누어떨어지려면 4가 부족하므로 어떤 수는 8과 12의 공배수보다 4 작은 수입니다.

$$
\begin{array}{r|rr}
2) & 8 & 12 \\
2) & 4 & 6 \\
\hline
 & 2 & 3
\end{array}
$$

8과 12의 최소공배수가 $2 \times 2 \times 2 \times 3 = 24$이므로 8과 12의 공배수는 24, 48, 72, 96, 120……입니다.

⇨ 어떤 수는 20, 44, 68, 92, 116……이고, 이 중에서 두 자리 수는 20, 44, 68, 92로 모두 4개입니다.

22 $\blacktriangle \times \bigstar = 45$인 자연수 $\blacktriangle$와 $\bigstar$을 구하면
$(\blacktriangle, \bigstar) \rightarrow (1, 45), (3, 15), (5, 9), (9, 5),$
$\qquad\qquad (15, 3), (45, 1)$

$6 \times \blacktriangle + 3 \times \bigstar$에 $\blacktriangle$와 $\bigstar$의 값을 하나씩 넣어 계산하면

$6 \times 1 + 3 \times 45 = 141$, $6 \times 3 + 3 \times 15 = 63$,
$6 \times 5 + 3 \times 9 = 57$, $6 \times 9 + 3 \times 5 = 69$,
$6 \times 15 + 3 \times 3 = 99$, $6 \times 45 + 3 \times 1 = 273$

⇨ 계산 결과가 가장 클 때는 273, 가장 작을 때는 57이므로 차는 $273 - 57 = 216$입니다.

23 현우는 전체의 $\frac{1}{5}$보다 $(4+3)$개 더 많이 가진 것과 같습니다.

$\frac{1}{5} + \frac{1}{5} + \frac{1}{2} = \frac{2}{5} + \frac{1}{2} = \frac{4}{10} + \frac{5}{10} = \frac{9}{10}$이고

$4 + 4 + 3 - 2 = 9$(개)는 전체의 $1 - \frac{9}{10} = \frac{1}{10}$보다

1개 더 적은 것이므로 전체의 $\frac{1}{10}$은 10개입니다.

⇨ 처음에 있던 초콜릿은 $10 \times 10 = 100$(개)입니다.

24 약분하기 전 분수의 분모와 분자의 최대공약수를 $\square$라 놓고 처음 분수를 나타내면 $\dfrac{9 \times \square - 2}{10 \times \square + 8}$입니다.

처음 분수의 분모와 분자의 합이 82이므로
$10 \times \square + 8 + 9 \times \square - 2 = 82$
$\qquad\qquad 19 \times \square + 6 = 82$
$\qquad\qquad\quad 19 \times \square = 82 - 6$
$\qquad\qquad\quad 19 \times \square = 76$
$\qquad\qquad\qquad\quad \square = 4$

⇨ 처음 분수는 $\dfrac{9 \times 4 - 2}{10 \times 4 + 8} = \dfrac{34}{48}$이므로 분자는 34입니다.

25 2의 배수가 아니므로 ⓒ은 0, 2, 4, 6, 8이 아니고 5의 배수도 아니므로 ⓒ은 0, 5가 아닙니다.

ⓒ은 1, 3, 7, 9 중 하나입니다.

- ⓒ=1일 때
  $2 + 7 + ㉠ + 1 = 10 + ㉠$이 3의 배수이어야 하므로 ㉠=2, 5, 8입니다.
  ㉠=2 → 2721,
  ㉠=5 → 2751,
  ㉠=8 → 2781

- ⓒ=3일 때
  $2 + 7 + ㉠ + 3 = 12 + ㉠$이 3의 배수이어야 하므로 ㉠=0, 3, 6, 9입니다.
  ㉠=0 → 2703,
  ㉠=3 → 2733,
  ㉠=6 → 2763,
  ㉠=9 → 2793

- ⓒ=7일 때
  $2 + 7 + ㉠ + 7 = 16 + ㉠$이 3의 배수이어야 하므로 ㉠=2, 5, 8입니다.
  ㉠=2 → 2727,
  ㉠=5 → 2757,
  ㉠=8 → 2787

- ⓒ=9일 때
  $2 + 7 + ㉠ + 9 = 18 + ㉠$이 3의 배수이어야 하므로 ㉠=0, 3, 6, 9입니다.
  ㉠=0 → 2709,
  ㉠=3 → 2739,
  ㉠=6 → 2769,
  ㉠=9 → 2799

⇨ 가장 큰 네 자리 수가 되는 경우는 2799이고 이때 ㉠=9입니다.

> **참고**
>
> [배수 판정법]
> - 2의 배수:
>   일의 자리 숫자가 0, 2, 4, 6, 8인 수
> - 3의 배수:
>   각 자리 숫자의 합이 3의 배수인 수
>   예 123: 1+2+3=6
>   ⇨ 3의 배수 └→ 3의 배수
> - 5의 배수:
>   일의 자리 숫자가 0 또는 5인 수

최종 모의고사 3회

93~98쪽

1 ④	**2** 234
3 31	**4** 2
5 3	**6** ④
7 150	**8** 31
9 12	**10** 76
11 11	**12** 660
13 5	**14** 1
15 28	**16** 19
17 15	**18** 12
19 207	**20** 4
21 714	**22** 22
23 44	**24** 7
25 87	

1 20의 약수: 1, 2, 4, 5, 10, 20

2 6으로 나누었을 때 나누어떨어지는 수가 6의 배수
입니다.
$106 \div 6 = 17 \cdots 4$, $182 \div 6 = 30 \cdots 2$, $234 \div 6 = 39$
⇨ 6의 배수는 234입니다.

3 $43 - 16 \times 9 \div 12 = 43 - 144 \div 12$
$= 43 - 12$
$= 31$

4 누나의 나이는 승호의 나이보다 2살 더 많으므로
□=2입니다.

5 $\dfrac{18}{24} = \dfrac{18 \div 6}{24 \div 6} = \boxed{\dfrac{3}{4}}$, $\dfrac{18}{24} = \dfrac{18 \div 3}{24 \div 3} = \dfrac{6}{8}$,
$\dfrac{18}{24} = \dfrac{18 \div 2}{24 \div 2} = \boxed{\dfrac{9}{12}}$, $\dfrac{18}{24} = \dfrac{3}{4} = \dfrac{3 \times 5}{4 \times 5} = \dfrac{15}{20}$,
$\dfrac{18}{24} = \dfrac{18 \times 2}{24 \times 2} = \boxed{\dfrac{36}{48}}$

6 ④ ☆은 ♡의 7배이므로 ♡×7=☆입니다.

7 $\dfrac{18}{25}$과 $\dfrac{7}{30}$을 통분할 때 공통분모가 될 수 있는 가장
작은 수는 두 분모 25와 30의 최소공배수입니다.

$\begin{array}{r|ll} 5 & 25 & 30 \\ \hline & 5 & 6 \end{array}$ 25와 30의 최소공배수:
$5 \times 5 \times 6 = 150$

8 $1\dfrac{5}{6} + 1\dfrac{4}{15} = 1\dfrac{25}{30} + 1\dfrac{8}{30}$
$= 2\dfrac{33}{30} = 3\dfrac{3}{30} = 3\dfrac{1}{10}$

⇨ $3\dfrac{1}{10} = \dfrac{31}{10}$이므로 $\dfrac{1}{10}$이 31개 모인 수입니다.

9 12의 약수: 1, 2, 3, 4, 6, 12 → 6개
30의 약수: 1, 2, 3, 5, 6, 10, 15, 30 → 8개
42의 약수: 1, 2, 3, 6, 7, 14, 21, 42 → 8개
56의 약수: 1, 2, 4, 7, 8, 14, 28, 56 → 8개
⇨ 약수의 개수가 다른 수는 12입니다.

10 9와 5의 최소공배수: 45
$\left(\dfrac{8}{9}, \dfrac{4}{5} \right) \Rightarrow \left(\dfrac{40}{45}, \dfrac{36}{45} \right)$이므로 통분한 두 분수의 분자
의 합은 $40 + 36 = 76$입니다.

11 $\square + \dfrac{5}{8} = 1\dfrac{1}{12}$
$\square = 1\dfrac{1}{12} - \dfrac{5}{8} = 1\dfrac{2}{24} - \dfrac{15}{24}$
$= \dfrac{26}{24} - \dfrac{15}{24} = \dfrac{11}{24}$

⇨ $\dfrac{11}{24}$에서 분자는 11입니다.

12 (고구마 한 개와 당근 한 개의 무게의 합)
$= 810 \div 3 + 780 \div 2$
$= 270 + 390 = 660$ (g)

13 $0.65 = \dfrac{65}{100} = \dfrac{13}{20}$

$\dfrac{\square}{8}$와 $\dfrac{13}{20}$을 통분하면 $\dfrac{\square}{8} = \dfrac{\square \times 5}{40}$, $\dfrac{13}{20} = \dfrac{26}{40}$이므
로 $\dfrac{\square \times 5}{40} < \dfrac{26}{40}$입니다.

⇨ $\square \times 5 < 26$이므로 □ 안에 들어갈 수 있는 자연
수는 1, 2, 3, 4, 5로 모두 5개입니다.

14 파리의 시각이 서울의 시각보다
오전 10시－오전 2시＝8(시간) 느리므로
(서울의 시각)－8＝(파리의 시각)입니다.
⇨ 서울이 오후 9시일 때
(파리의 시각)＝오후 9시－8시간＝오후 1시

15
전략 가이드

$\dfrac{4}{7}$와 크기가 같은 분수 중에서 분모가 $(7+49)$인 분수를 찾습니다.

분자에 더해야 하는 수를 □라 하면

$\dfrac{4}{7}=\dfrac{4+\square}{7+49}=\dfrac{4+\square}{56}$입니다.

$\dfrac{4}{7}=\dfrac{8}{14}=\dfrac{12}{21}=\dfrac{16}{28}=\dfrac{20}{35}=\dfrac{24}{42}=\dfrac{28}{49}$

$=\dfrac{32}{56}=\cdots\cdots$

$\dfrac{4}{7}$와 크기가 같은 분수 중에서 분모가 56인 분수를 찾으면 $\dfrac{32}{56}$입니다.

⇨ $\dfrac{4+\square}{56}=\dfrac{32}{56}$이므로 $4+\square=32$, $\square=28$입니다.

16 (쇠고기 3근의 무게)$=\dfrac{3}{5}+\dfrac{3}{5}+\dfrac{3}{5}$

$\qquad\qquad\qquad\qquad=\dfrac{9}{5}=1\dfrac{4}{5}$ (kg)

(감자 2관의 무게)$=3\dfrac{3}{4}+3\dfrac{3}{4}$

$\qquad\qquad\qquad=6\dfrac{6}{4}=7\dfrac{2}{4}=7\dfrac{1}{2}$ (kg)

⇨ $1\dfrac{4}{5}+7\dfrac{1}{2}=1\dfrac{8}{10}+7\dfrac{5}{10}$

$\qquad\qquad=8\dfrac{13}{10}=9\dfrac{3}{10}$ (kg)

에서 ㉠$=9$, ㉡$=10$이므로

㉠$+$㉡$=9+10=19$입니다.

17 3의 배수는 각 자리 숫자의 합이 3의 배수이어야 하므로 $4+2+\square+1+0=7+\square$가 3의 배수이어야 합니다.

⇨ □ 안에 들어갈 수 있는 숫자는 2, 5, 8이고,
□ 안에 들어갈 수 있는 모든 숫자의 합은
$2+5+8=15$입니다.

18 나누어 줄 수 있는 친구의 수는 156과 48의 최대공약수입니다.

$\begin{array}{r}2\,)\underline{156\quad48}\\2\,)\underline{78\quad24}\\3\,)\underline{39\quad12}\\13\quad4\end{array}$ 156과 48의 최대공약수:
$\qquad\qquad\quad 2\times2\times3=12$

⇨ 최대 12명의 친구에게 나누어 줄 수 있습니다.

19 어떤 수가 6과 15로 나누어떨어지려면 3이 부족하므로 어떤 수는 6과 15의 공배수보다 3 작은 수입니다.

$\begin{array}{r}3\,)\underline{6\quad15}\\2\quad5\end{array}$ 6과 15의 최소공배수:
$\qquad\qquad 3\times2\times5=30$

⇨ 6과 15의 공배수는 30의 배수이고 어떤 수는 공배수보다 3 작은 수이므로 27, 57, 87, 117, 147, 177, 207$\cdots\cdots$입니다.

이 중에서 200에 가장 가까운 수는 207입니다.

20 96과 72의 최소공배수만큼 맞물려야 두 톱니바퀴가 다시 처음 맞물렸던 톱니와 만나게 됩니다.

$\begin{array}{r}2\,)\underline{96\quad72}\\2\,)\underline{48\quad36}\\2\,)\underline{24\quad18}\\3\,)\underline{12\quad9}\\4\quad3\end{array}$ 96과 72의 최소공배수:
$\qquad\qquad\quad 2\times2\times2\times3\times4\times3=288$

⇨ ㉡ 톱니바퀴는 $288\div72=4$(바퀴) 돌아야 합니다.

21 일주일에 2일씩 쉬어 5일씩 5주일 동안 장난감을 425개 만들었으므로 하루에 만드는 장난감의 수는 $425\div(5\times5)=425\div25=17$(개)입니다.

⇨ 쉬는 날 없이 6주일 동안 만들 수 있는 장난감은 모두 $17\times7\times6=714$(개)입니다.

22 20의 약수: 1, 2, 4, 5, 10, 20

20의 약수 중 차가 9인 두 수는 1과 10이고

$\dfrac{9}{20}=\dfrac{10}{20}-\dfrac{1}{20}=\dfrac{1}{2}-\dfrac{1}{20}$

이므로 ㉠$=2$, ㉡$=20$입니다.

⇨ ㉠$+$㉡$=2+20=22$

참고
분수에서 분자가 분모의 약수이면 약분하여 단위분수가 됩니다.

23 $\dfrac{㉡}{㉠+5}=\dfrac{1}{4}=\dfrac{2}{8}=\dfrac{3}{12}=\dfrac{4}{16}=\dfrac{5}{20}=\cdots\cdots$

$\dfrac{㉡}{㉠+13}=\dfrac{1}{6}=\dfrac{2}{12}=\dfrac{3}{18}=\dfrac{4}{24}=\dfrac{5}{30}=\cdots\cdots$

분자가 같고 분모의 차가 $(㉠+13)-(㉠+5)=8$인 분수는 $\dfrac{4}{16}$와 $\dfrac{4}{24}$이므로 ㉠$=11$, ㉡$=4$입니다.

⇨ ㉠$\times$㉡$=11\times4=44$

24 • 사각형의 네 꼭짓점에 놓여 있는 수들의 합:

$$\frac{1}{4}+\frac{3}{8}+\frac{5}{12}+\frac{1}{3}=\frac{6}{24}+\frac{9}{24}+\frac{10}{24}+\frac{8}{24}$$
$$=\frac{33}{24}=\frac{11}{8}=1\frac{3}{8}$$

• 삼각형의 세 꼭짓점에 놓여 있는 수들의 합:

$$\frac{1}{2}+\frac{2}{3}+ⓐ=1\frac{3}{8},\ \frac{3}{6}+\frac{4}{6}+ⓐ=1\frac{3}{8},$$
$$1\frac{1}{6}+ⓐ=1\frac{3}{8},$$
$$ⓐ=1\frac{3}{8}-1\frac{1}{6}=1\frac{9}{24}-1\frac{4}{24}=\frac{5}{24}$$

• 오각형의 다섯 꼭짓점에 놓여 있는 수들의 합:

$$\frac{1}{6}+\frac{2}{3}+ⓑ+\frac{1}{12}+\frac{4}{9}=1\frac{3}{8},$$
$$ⓑ+\frac{6}{36}+\frac{24}{36}+\frac{3}{36}+\frac{16}{36}=1\frac{3}{8},$$
$$ⓑ+1\frac{13}{36}=1\frac{3}{8},$$
$$ⓑ=1\frac{3}{8}-1\frac{13}{36}=1\frac{27}{72}-1\frac{26}{72}=\frac{1}{72}$$

⇨ $\frac{5}{24}>\frac{1}{72}$이므로

$$ⓐ-ⓑ=\frac{5}{24}-\frac{1}{72}=\frac{15}{72}-\frac{1}{72}=\frac{14}{72}=\frac{7}{36}$$

입니다.
따라서 ▲=7입니다.

25 ㉠㉡-㉢㉣÷㉤에서 계산한 값이 가장 큰 자연수이려면 ㉠㉡은 가능한 한 크고 ㉢㉣÷㉤은 가능한 한 작은 자연수이어야 합니다.

• ㉠㉡=95인 경우: 2, 3, 4로 만들 수 있는
㉢㉣÷㉤은 24÷3=8, 32÷4=8,
34÷2=17, 42÷3=14입니다.
→ 95-24÷3=95-8=87
또는 95-32÷4=95-8=87

• ㉠㉡=94인 경우: 2, 3, 5로 만들 수 있는
㉢㉣÷㉤의 값이 자연수인 경우는 없습니다.

• ㉠㉡=93인 경우: 2, 4, 5로 만들 수 있는
㉢㉣÷㉤은 52÷4=13, 54÷2=27입니다.
→ 93-52÷4=93-13=80

• ㉠㉡=92인 경우: 3, 4, 5로 만들 수 있는
㉢㉣÷㉤은 45÷3=15, 54÷3=18입니다.
→ 92-45÷3=92-15=77

⇨ ㉠㉡이 59이거나 59보다 작은 경우 계산한 값이 87보다 클 수 없으므로 가장 큰 값은 87입니다.

최종 모의고사 ④회

99～104쪽

1 ③		**2** 21
3 36		**4** 12
5 ④		**6** 8
7 32		**8** 6
9 1		**10** 775
11 120		**12** 3
13 36		**14** 3
15 25		**16** 3
17 121		**18** 21
19 44		**20** 2
21 59		**22** 9
23 150		**24** 13
25 16			

1
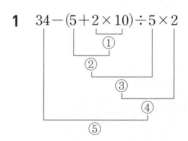

$$34-(5+2\times10)\div5\times2$$

2 8×2=16, 8×5=40, 8×7=56, 8×4=32
⇨ 8의 배수가 아닌 수는 21입니다.

3 $\left(\frac{3}{8},\ \frac{9}{14}\right)\rightarrow\left(\frac{3\times7}{8\times7},\ \frac{9\times4}{14\times4}\right)\rightarrow\left(\frac{21}{56},\ \frac{36}{56}\right)$
⇨ ㉠=36

4 한 번만 약분하여 기약분수로 나타내려면 분모와 분자를 두 수의 최대공약수로 각각 나누어야 합니다.

$$
\begin{array}{r}
2\,)\underline{36\quad24}\\
2\,)\underline{18\quad12}\\
3\,)\underline{\ 9\quad\ 6}\\
3\quad\ 2
\end{array}
$$
36과 24의 최대공약수:
$2\times2\times3=12$

5 큰 수를 작은 수로 나누었을 때 나누어떨어지는 것을 찾습니다.
④ 48÷6=8

6 가=2×2×2×2
나=2×2×2×3
⇨ 가와 나의 최대공약수: 2×2×2=8

7 $45-91\div(4+3)=45-91\div 7$
$=45-13=32$

8 두 수의 공약수는 두 수의 최대공약수의 약수와 같습니다.
⇨ 12의 약수: 1, 2, 3, 4, 6, 12 (6개)

9 $\dfrac{9}{10}-\dfrac{1}{4}-\dfrac{3}{5}=\dfrac{18}{20}-\dfrac{5}{20}-\dfrac{12}{20}$
$=\dfrac{13}{20}-\dfrac{12}{20}=\dfrac{1}{20}$
⇨ ㉠$=1$

10 $\dfrac{2}{5}+\dfrac{3}{8}=\dfrac{16}{40}+\dfrac{15}{40}=\dfrac{31}{40}$ (km)
⇨ $\dfrac{31}{40}$ km$=\dfrac{775}{1000}$ km이므로 수안이네 집에서 학교를 거쳐 도서관까지의 거리는 775 m입니다.

> **주의**
> 몇 m로 답해야 하는 것에 주의합니다.

11
㉠
$2)\overline{20\quad 30}$
$5)\overline{10\quad 15}$
$\quad\ \ \ 2\quad\ 3$
20과 30의
최소공배수:
$2\times 5\times 2\times 3=60$

㉡
$2)\overline{20\quad 24}$
$2)\overline{10\quad 12}$
$\quad\ \ \ 5\quad\ 6$
20과 24의
최소공배수:
$2\times 2\times 5\times 6=120$

⇨ $60<120$

12 $\dfrac{7\times 3}{15\times 3}=\dfrac{21}{45}$, $\dfrac{7\times 4}{15\times 4}=\dfrac{28}{60}$, $\dfrac{7\times 5}{15\times 5}=\dfrac{35}{75}$,
$\dfrac{7\times 6}{15\times 6}=\dfrac{42}{90}$ ……
⇨ 분모가 30보다 크고 90보다 작은 분수는
$\dfrac{21}{45}$, $\dfrac{28}{60}$, $\dfrac{35}{75}$로 모두 3개입니다.

13
$2)\overline{12\quad 18}$
$3)\overline{6\quad\ 9}$
$\quad\ \ \ 2\quad\ 3$
12와 18의 최소공배수:
$2\times 3\times 2\times 3=36$
⇨ 정사각형의 한 변의 길이는 36 cm로 해야 합니다.

14 (분자)$\times 2<$(분모)이면 $\dfrac{1}{2}$보다 작습니다.
$\dfrac{3}{7}\rightarrow 3\times 2<7\rightarrow \dfrac{3}{7}<\dfrac{1}{2}$
$\dfrac{7}{9}\rightarrow 7\times 2>9\rightarrow \dfrac{7}{9}>\dfrac{1}{2}$
$\dfrac{3}{8}\rightarrow 3\times 2<8\rightarrow \dfrac{3}{8}<\dfrac{1}{2}$
$\dfrac{5}{13}\rightarrow 5\times 2<13\rightarrow \dfrac{5}{13}<\dfrac{1}{2}$
$\dfrac{4}{5}\rightarrow 4\times 2>5\rightarrow \dfrac{4}{5}>\dfrac{1}{2}$
⇨ $\dfrac{1}{2}$보다 작은 분수는 $\dfrac{3}{7}$, $\dfrac{3}{8}$, $\dfrac{5}{13}$로 모두 3개입니다.

15 △는 □보다 3 크므로 □$+3=$△입니다.
㉠$+3=12\rightarrow$ ㉠$=9$
$13+3=$㉡$\rightarrow$ ㉡$=16$
⇨ ㉠$+$㉡$=9+16=25$

16 $2\dfrac{2}{5}+1\dfrac{5}{7}=2\dfrac{14}{35}+1\dfrac{25}{35}$
$=3\dfrac{39}{35}=4\dfrac{4}{35}$
⇨ $4\dfrac{4}{35}<$□<8에서 □ 안에 들어갈 수 있는 자연수는 5, 6, 7로 모두 3개입니다.

17 한별이가 말한 수를 □, 은우가 답한 수를 △라고 할 때, □$\times$□$=$△입니다.
⇨ □$=11$일 때 $11\times 11=121$이므로 은우가 답한 수는 121입니다.

18
$\dfrac{1}{8}+\dfrac{1}{16}+\dfrac{1}{8}=\dfrac{2}{16}+\dfrac{1}{16}+\dfrac{2}{16}=\dfrac{5}{16}$
⇨ ㉠$=16$, ㉡$=5$이므로
㉠$+$㉡$=16+5=21$입니다.

19 어떤 수를 □라 하면
□$-3\times 5+21\div 7=32$
□$-15+3=32$
□$-15=29$
□$=44$
⇨ 어떤 수는 44입니다.

20
$$9 \times (20-8) \div 6 - 4 \times \square = 9 \times 12 \div 6 - 4 \times \square$$
$$= 108 \div 6 - 4 \times \square$$
$$= 18 - 4 \times \square$$

$18 - 4 \times \square$가 0이 아닌 한 자리 수가 되게 하려면

$\square = 1$이면 $18 - 4 \times 1 = 18 - 4 = 14 (\times)$

$\square = 2$이면 $18 - 4 \times 2 = 18 - 8 = 10 (\times)$

$\square = 3$이면 $18 - 4 \times 3 = 18 - 12 = 6 (\bigcirc)$

$\square = 4$이면 $18 - 4 \times 4 = 18 - 16 = 2 (\bigcirc)$

$\square = 5$이면 $18 - 4 \times 5 = 18 - 20 (\times)$

⇨ $\square$ 안에 들어갈 수 있는 자연수는 3, 4로 모두 2개입니다.

21

배열 순서	1	2	3	4	……
구슬의 수(개)	2	5	8	11	……

배열 순서를 $\square$, 구슬의 수를 $\triangle$라고 할 때,

$\square \times 3 - 1 = \triangle$입니다.

⇨ $\square = 20$일 때 $20 \times 3 - 1 = \triangle$, $\triangle = 59$이므로 20째에는 구슬을 모두 59개 놓아야 합니다.

22
$$\frac{1}{6} + \frac{1}{12} + \frac{1}{20} + \frac{1}{30} + \frac{1}{42}$$
$$= \frac{1}{2 \times 3} + \frac{1}{3 \times 4} + \frac{1}{4 \times 5} + \frac{1}{5 \times 6} + \frac{1}{6 \times 7}$$
$$= \left(\frac{1}{2} - \frac{1}{3}\right) + \left(\frac{1}{3} - \frac{1}{4}\right) + \left(\frac{1}{4} - \frac{1}{5}\right) + \left(\frac{1}{5} - \frac{1}{6}\right)$$
$$+ \left(\frac{1}{6} - \frac{1}{7}\right)$$
$$= \frac{1}{2} - \frac{1}{7} = \frac{7}{14} - \frac{2}{14} = \frac{5}{14}$$

⇨ ㉠$= 14$, ㉡$= 5$이므로
㉠과 ㉡에 알맞은 수의 차는
㉠$-$㉡$= 14 - 5 = 9$입니다.

23 단팥빵 한 개의 금액: $(1500 \div 3)$원

단팥빵 한 개를 판매한 금액: $(2600 \div 4)$원

지연이네 제과점에서 단팥빵 한 개를 팔 때 얻은 이익금은 $(2600 \div 4 - 1500 \div 3)$원이므로 판 단팥빵의 봉지 수를 $\square$봉지라 하면

$$\square \times 4 \times (2600 \div 4 - 1500 \div 3) = 90000$$
$$\square \times 4 \times 150 = 90000$$
$$\square \times 600 = 90000$$
$$\square = 150$$

⇨ 단팥빵은 모두 150봉지 팔았습니다.

24

푸는 순서
❶ 규칙 찾기
❷ 15번째 수와 30번째 수 각각 구하기
❸ ❷에서 구한 두 수의 차 구하기
❹ ㉠$+$㉡$-$㉢ 구하기

❶ 분모가 같은 대분수끼리 묶어 보면 다음과 같은 규칙이 있습니다.

$$\left(1\frac{1}{2}\right), \left(2\frac{1}{3}, 2\frac{2}{3}\right), \left(3\frac{1}{4}, 3\frac{2}{4}, 3\frac{3}{4}\right) \cdots\cdots$$

1개   2개   3개

❷ $1 + 2 + 3 + 4 + 5 = 15$에서
15번째 수는 다섯 번째 묶음 마지막 수이므로 $5\frac{5}{6}$입니다.

$1 + 2 + 3 + 4 + 5 + 6 + 7 = 28$에서

30번째 수는 여덟 번째 묶음 2번째 수이므로 $8\frac{2}{9}$ 입니다.

❸ $8\frac{2}{9} - 5\frac{5}{6} = 8\frac{4}{18} - 5\frac{15}{18}$
$$= 7\frac{22}{18} - 5\frac{15}{18} = 2\frac{7}{18}$$

❹ ㉠$= 2$, ㉡$= 18$, ㉢$= 7$이므로
㉠$+$㉡$-$㉢$= 2 + 18 - 7 = 13$입니다.

25 24의 배수가 적힌 카드까지 뒤집었을 때 앞면이 보이는 카드는 약수의 개수가 짝수인 수이고, 뒷면이 보이는 카드는 약수의 개수가 홀수인 수입니다.

약수의 개수가 홀수인 경우는 다음과 같이
$1 = 1 \times 1$, $4 = 2 \times 2$, $9 = 3 \times 3$, $16 = 4 \times 4$
즉 같은 수를 2번 곱한 수입니다.

⇨ 뒷면이 보이는 카드는 4장이고
앞면이 보이는 카드는 $24 - 4 = 20$(장)이므로
카드의 수의 차는 $20 - 4 = 16$(장)입니다.

참고

■$=$㉠$\times$㉡$=$㉢$\times$㉣로
■의 약수는 ㉠, ㉡, ㉢, ㉣일 때 약수의 개수는 짝수입니다.

⇨ 약수의 개수가 홀수이려면
■$=$㉠$\times$㉠처럼 같은 수를 2번 곱한 수이어야 합니다.